La Scala

Dacia Maraini

Dolce per sé

Rizzoli

Dolce per sé

Dolce per sé; ma con dolor sottentra
il pensier del presente, un van desio
del passato...

G. Leopardi, *Le Ricordanze*

3 ottobre 1988

Cara Flavia,
sono passati sei mesi dall'ultima volta che ci siamo viste. Da quando sei entrata, come un angelo infuriato, nella sala d'ingresso dell'Hôtel Bellevue, il cappellino rosso ciliegia in testa, la gonna scozzese che ti saltellava sulle ginocchia, le scarpe rosso pomodoro col fiocchetto da ballerina. Vedendomi, hai gettato a terra i giornali di tuo padre per correre ad abbracciarmi.

Non sapevo che ci saremmo separate per tanto tempo, non sapevo che ne avrei sofferto, non sapevo che saresti entrata nelle mie peregrinazioni mentali come la "bambina delle feste". Ma dove sono ormai quelle feste? Voltandomi indietro ho paura di fare la fine della moglie di Lot. Eppure "non è cosa / ch'io vegga o senta, onde un'immagin dentro / non torni, e un dolce rimembrar non sorga". La mia testa continua a girarsi con un movimento timido e impacciato, fra il timore e la curiosità. "Dolce per sé; ma con dolor sottentra / il pensier del presente, un van desio / del passato..."

È questa la "ricordanza"? Quel tetro ingresso

dell'Hôtel Bellevue, quelle pareti marroncine, la plafoniera giallo uovo, i divani a fiori rosa su fondo grigio?... Anche se poi le camere erano luminose e avevano le finestre che si aprivano sulle rocce grigio-azzurre dello Sciliar.

Potrei trasformarmi in una statua di sale, se insistessi, lo so, come la moglie di Lot: ma come si chiamava la moglie di Lot? La Bibbia non lo dice. L'ho sfogliata in lungo e in largo. Puoi solo immaginarla come una donna senza nome, senza faccia, appartenente per diritto matrimoniale a un certo Lot.

Eppure il suo gesto ha avuto conseguenze decisive e disastrose: la curiosità, questo sentimento sensuale e dirompente, anziché renderla più mobile, più viva e generosa, la irrigidisce, la calcifica. Possibile che la memoria sia un processo di pietrificazione dello spirito? È questo che suggerisce nostro Signore?

Continuo a girare la testa all'indietro, con un gesto che è insieme timido e ardimentoso, nel timore trattenuto di trovarmi intrappolata in un processo di necrosi mentale. Dietro la città che nasce dalle luci del ricordo ci sei tu, Flavia, prigioniera di una porta girevole. Te lo ricordi? Ti piaceva spingere il pesante vetro con tutt'e due le mani, uscire e poi rientrare mentre qualche signora con la racchetta da tennis in mano aspettava pazientemente che tu avessi finito il gioco per poter a sua volta uscire.

L'Hôtel Bellevue. Anche quello proibito? Non ti voltare indietro, non senti il sale in fondo alla gola? Eppure era un albergo così pacifico, niente a che vedere con Sodoma e Gomorra, un albergo dalle solide tradizioni montanare, che ospitava soprattutto clienti anziani.

«Che voglia di rivederti!» hai detto entrando nella hall del Bellevue. Poi sei corsa da tua madre per aiutarla a portare dentro la grossa valigia a righe. Intanto, tuo padre posava il suo violoncello, dalla fodera nera, contro il bancone e domandava le chiavi delle due stanze che aveva prenotato.

«La signorina desidera una camera con vista sullo Sciliar?» ha chiesto il portiere, cerimonioso. E tu, che avevi fatto la grande fatica di aiutare tua madre nel trasporto della valigia, ti sei abbandonata con un tuffo sul divano a fiori rosa e hai detto: «In questo momento sono orribilmente stanca», una frase tipica della tua bisnonna Fiorenza che tu avevi adottata con puntiglio mimetico.

«E lo zio Edoardo?» mi hai chiesto saltando sul divano, già dimentica della tua "orribile stanchezza". Lo zio Edoardo è il nostro legame, la nostra conquistata parentela, il nodo di affetti che ha portato te a me e me a te. Come se tra una bambina di sei anni e una donna di cinquanta si possa formare un rapporto di curiosità e tenerezza. Soprattutto quando non sono parenti e si sono conosciute da poco.

«Lo zio Edoardo sta su in camera a studiare» ho detto guardandoti saltellare allegramente. «Allora andiamo su.» E mi hai preceduta verso l'ascensore. Volevi essere tu, con le tue dita corte e grassottelle a pigiare il bottone nero, per poi osservare, beata, la spia rossa che si accendeva ad ogni piano.

«Gli facciamo una sorpresa?» hai detto. E sei andata avanti per aprire la porta di botto e urlare: «Sono qui!». Ma la porta della camera numero 38 era chiusa a chiave e tu hai storto la bocca comicamente. La sorpresa non era più possibile. Si sentivano al di là della porta chiusa le note aspre e soavissime del Preludio in mi maggiore di Bach. «Bussa con più energia» ti ho detto.

Hai bussato. Ma tuo zio non ti ha sentita perché il suono del violino copriva il tuo picchiare. Hai bussato ancora, con più forza. Il Preludio si è interrotto e si è sentita la sua voce "di cornacchia", come dici tu, gridare: «Chi è?».

«Sono la cameriera, c'è una lettera per lei» hai detto soffocando le risate. Si sono sentiti dei passi, una mano che girava la chiave nella toppa. E sulla porta è apparso il tuo bellissimo zio Edoardo, in pigiama, col violino in una mano, l'archetto nell'altra e un sorriso sorpreso e felice sulla bocca minuta che una comune amica definisce "barocca".

«Sono io la lettera» hai gridato abbracciandolo.

Mentre vi stringevate ridendo, ho sollevato da terra un maglione arrotolato e ho riportato nel bagno un asciugamano umido. Il tuo dolcissimo zio non è quello che si dice "una persona ordinata". Eppure, quando suona è così preciso e sistematico. La musica, si sa, pretende una continua geometrica distribuzione degli spazi.

«Ora torno giù dalla mamma che ha bisogno di me, tu continua pure a suonare» hai detto con saggezza compunta. Mi hai presa per mano e siamo tornate insieme al piano di sotto.

Quell'albergo, con i suoi vecchi divani, i suoi tavolini da gioco, i suoi acquarii, sembrava uscito da un film di Jacques Tati. *Le vacanze di monsieur Hulot* l'hai mai visto? Il surrealismo un poco sgomento di Tati è sempre stato una fonte di allegria, per me.

Monsieur Hulot, con la lunga pipa in bocca, cerca di partecipare ai divertimenti dei suoi compatrioti ma finisce per combinare un sacco di guai; guai che scombussolano quell'aria sonnacchiosa e prevedibile delle vacanze anni Cinquanta in Provenza. Gli ospiti dell'albergo sono affezionati ai loro orari, alle loro abitudini: le lunghe partite a tennis di cui, anche da lontano, si avvertono i ritmi per quel plof plof puntuale della palla di gomma che rimbalza sul terreno spianato; le passeggiate al tramonto quando le signore raccolgono conchiglie e le porgono ai mariti che, con gesto indifferente, le gettano via; le pomeridiane partite a carte attorno ai tavolini dal ripiano di feltro verde; le cene silenziose interrotte dal fracasso "inammissibile" di una sedia rovesciata per caso da un bambino; i vol-au-vent con la besciamella al gusto di funghi porcini; le fettine di carne troppo cotta; le carote alla Vichy; il ballo in maschera al quale nessuno partecipa salvo, appunto, il buffo monsieur Hulot.

«Ma monsieur Hulot chi sarebbe?» chiederesti tu, lo so, mettendo in moto la tua logica infantile. Be', un poco il tuo candido zio Edoardo, un poco tu, Flavia, e un poco forse anch'io con le mie goffaggini e le mie comiche distrazioni.

Chissà come sei cresciuta in questi sei mesi; come l'erba cipollina che ti volti un momento ed è già diventata alta e rigogliosa. Mia madre diceva che se si fa molta attenzione si può sentire l'erba che cresce. Tu l'hai mai sentita?

La mattina venivi a bussare alla mia porta per chiedermi: «Che scarpe mi metto oggi?». Io ti dicevo: «Gli scarponcini col carro armato». E tu: «Ma non sarebbe meglio se mettessi le scarpe bianche da tennis?». «Per le passeggiate fra i boschi non vanno bene» ribattevo io. «Allora metto quelle rosse e poi, stasera, quelle bianche, eh?»

Chissà quanto si sono allungati i tuoi piedi. Ma, mi raccomando, quando arrivi al trentasette, fermati. Il trentasette è un numero buono per una donna. Se diventano troppo lunghi ti chiameranno "piedona". I vecchi saggi dicevano che i piedi grandi significano carattere incerto, generoso e pasticcione. Tu non sei né pasticciona né irruente; sei una bambina ordinata e volitiva con una leggera tendenza alla malinconia. Quando guardavi le mie scarpe storcevi il naso. Erano troppo scure e severe per il tuo gusto. «Perché non ti metti i sandali d'oro?» mi chiedevi e, dal modo in cui ti mordevi il labbro inferiore, capivo che avresti voluto indossarli tu, i sandali d'oro. Ma sapevi che tua madre Marta non te lo avrebbe permesso, perciò volevi che li calzassi io.

Qualcuno mi ha detto una volta che portavo scarpe "da suora". Probabilmente tu saresti d'accordo. Se ti chiedessi a bruciapelo: «Ti piacciono le mie scarpe?» ti nasconderesti dietro uno di quei sorrisi d'occasione che usi quando una pietanza non è bene accetta al tuo palato, ma non osi pronunciarti ad alta voce per non ferire chi ti sta servendo.

I miei piedi, lo sai, da ultimo si sono messi a crescere nonostante abbia superato di molto l'età dello sviluppo. È buffo, no? Da qualche tempo le scarpe mi facevano male. Mi chiedevo se avevo fatto i "peri duci", come raccontava la mia balia siciliana, "i piedi dolci", troppo sensibili per qualsiasi paio di scarpe. Poi, un giorno, mi sono detta: sai che faccio? mi compro un paio di scarpe di un numero più grande per stare comoda e se proprio saranno larghe, ci infilerò una soletta. Invece ci stavo benissimo e improvvisamente non ho più sofferto di male ai piedi.

Non devono neanche essere troppo piccoli i piedi, sai, perché sennò inciampi. A meno che, crescendo d'età, tu non rimanga al di sotto del metro e mezzo di statura. Ma sono sicura che diventerai più alta. Sei già una bambina molto lunga per i tuoi sei anni. Se diventerai come tua madre, sarai della misura giusta. Ma forse crescerai ancora, supererai i tuoi genitori e diventerai una pertica. Te la immagini tu, la Flavia di vent'anni, con le gambe lunghe lunghe e i piedi enormi, il cappelletto rosso ciliegia in testa e le scarpe rosso pomodoro ai piedi?

Io, probabilmente, non ci sarò più e tu sarai una bella ragazza con gli occhi colore delle castagne mature e il sorriso fra timido e sfrontato. Perché tu sei una bambina timida, questo lo so; ti nascondi perfino a te stessa, ma non manchi, come tutti i timidi, di qualche temerarietà. I tuoi occhi, quando sei presa dalla paura, diventano piccoli, quasi avessi timore di essere invasa dalla luce. E allora metti su le persiane dello sguardo, come facevano le monache quando volevano guardare senza essere viste da dietro le grate dei conventi.

Alle volte, invece, sei decisamente sfacciata. Da muta che eri, diventi chiacchierina e nessuno ti può fermare. Sono le domande che ti fanno ardita, i tanti perché che ti saltano sulla lingua: come mai le mucche hanno la coda e io no? perché le mamme hanno la mania di far mangiare i figli? perché la montagna è verde e il cielo è blu? perché i papà partono sempre e le mamme rimangono a casa ad aspettare? perché tu hai gli occhi celesti e io marrone? perché lo zio Edoardo ti chiama "amorero"?

Non è facile rispondere alle tue interminabili domande. In questo assomigli a un mio professore di filosofia, un uomo scarmigliato e gentile che mi ha insegnato a tirare i bandoli delle matasse del pensiero: perché l'uomo muore? chiedeva sporgendosi dalla cattedra, le maniche della giacca arrotolate sulle braccia pelose; perché il cielo è azzurro e sembra vuoto? perché chiamiamo il male demonio? cosa significa credere nel futuro?

Non erano tanto le risposte a creare sconcerto ma le domande in se stesse: imparare a diffidare delle certezze, non accontentarsi mai delle risposte che tutti darebbero meccanicamente. C'è un "perché" nascosto nelle cose che conduce ad un altro "perché", il quale suggerisce un piccolissimo imprevisto "perché", da cui scaturisce probabilmente un altro, nuovissimo e appena nato "perché".

Risponderò solo all'ultima delle tue domande visto che mi riguarda da vicino: lo zio Edoardo mi chiama "amorero" perché mi vuole bene. "Amorero" è una piccola deformazione giocosa della parola "amore". Abbiamo cominciato un giorno per scherzo aggiungendo un "ero" alle parole per farle suonare spagnolesche e favolose. Poi è diventata un'abitudine. Così, per esempio, lui dice: «Andiamero al cinemero» e io rispondo: «Quale filmero vuoi vederero?».

Un gioco da bambini, tu dirai, e in effetti si tratta di un "segretero bambinero". Nel mondo dei grandi lo chiamerebbero "gergo". Ma il gergo, per essere riconosciuto come tale, deve essere usato da più persone; mentre noi siamo solo in due. Il fatto è che gli innamorati si credono una folla anche quando sono uno più uno; si arrogano il diritto di inventare dei gerghi loro che trattano con la serietà di una lingua vera dotata di una propria grammatica e di una propria sintassi. Sarebbero capaci di stampare un vocabolario delle parole in "ero" come se la cosa avesse un qualche fondamento linguistico.

La mia amica Laura, che ha un orecchio un poco distratto, credeva che io chiamassi tuo zio "torero". E così, un giorno, gli ha detto: «Senti, torero». Da allora siamo stati noi a chiamare lei "torero" e con questo l'abbiamo fatta entrare nel nostro piccolo giardino lessicale.

Per me si tratta di un gioco che coinvolge le parole di uso comune, per tuo zio di un divertimento sonoro. Anche per tuo padre i suoni vengono prima di tutto. Non a caso sono tutti e due musicisti, nati e cresciuti in una famiglia dedita alla musica. Il tuo bisnonno, non so se te l'hanno già raccontato, era un famoso violoncellista. Aveva avuto la stravaganza di sposare una principessa egiziana, figlia di un re arabo dei deserti che ogni anno riceveva una quantità d'oro pari al suo peso e perciò si portava in giro una pancia grande e grossa come una cupola.

Ma la principessa Amina, che come femmina non veniva valutata a peso d'oro, era magra e bella e portava i capelli bruni sciolti sulle spalle. Questa principessa Amina, a quanto mi racconta tuo zio Edoardo, teneva in giardino un'oca molto intelligente e di carattere che si chiamava Belo. La mattina, quando si alzava, la tua bisnonna andava alla finestra e chiamava: «Belo, Belo!». E l'oca rispondeva: «Uhé, uhé». Belo era anche molto gelosa e una volta che il tuo bisnonno si era avvicinato alla moglie in giardino per darle un bacio, Belo gli aveva beccato ferocemente il sedere.

Si dice che Amina fosse molto elegante, molto raffinata e fosse ghiotta di leccornie salate. Come te, Flavia, preferiva un cetriolino sott'aceto a una caramella al miele. Col tuo bisnonno si erano conosciuti in una circostanza romanticamente drammatica. Lui aveva fatto un atterraggio di fortuna col suo biplano sulle spiagge della costa romagnola. Tutto ammaccato e stracciato, ma non meno bello e affascinante per questo, il giovane pilota era saltato fuori dall'aereo in panne e come in un film americano degli anni Venti, aveva cercato disperatamente un telefono per farsi venire a prendere. Il caso volle che il solo telefono della zona si trovasse dentro la villa della principessa egiziana; villa sepolta in mezzo ai lentischi e ai pini nani lungo la costa, allora deserta e bellissima. La ragazza vide il giovane infortunato e lo fece entrare perché telefonasse. E da quella telefonata "galeotta", proprio come nei migliori romanzi d'amore, era nata una grande passione sfociata in un matrimonio.

Si racconta che la giovane Amina dai capelli lunghi e la voce soave, avesse la passione dei medicinali, che poi è passata a tuo nonno Pandino. E che quando si insediò la prima volta nella casa di Napoli dove ha dato alla luce il suo unico figlio, mandasse talmente spesso i servitori in farmacia da spingere il proprietario a chiedere se nel quartiere fosse stata aperta una clinica.

Piccole mitologie familiari, qualcuno potrebbe pensare, di poca importanza. Ma una famiglia senza mitologie sarebbe come un cielo senza stelle, un buco vuoto e inquietante.

La tua bisnonna egiziana, dai lunghi capelli neri, è morta giovane in un incidente aereo nei cieli del Mediterraneo. Strano, questo destino legato al volo, no? un biplano le aveva portato l'amore, un bimotore le portò la morte.

Qualche anno dopo, il tuo bisnonno Arduino si è

risposato, contro il parere di tutta la famiglia, con una bellissima violinista che si chiama Teresina.

Io l'ho incontrata, sai, questa tua bisnonnastra, la vogliamo chiamare così? a New York dove tuo zio doveva dare un concerto. Abbiamo saputo per caso che Teresina avrebbe suonato in una saletta del Metropolitan Museum e lì siamo andati trepidanti di curiosità.

Dopo avere attraversato sale tappezzate di quadri antichi, ce la siamo trovata improvvisamente davanti, sopra un palchetto di frassino, fra due tende giallo uovo: portava un vestito nero dalla scollatura profonda, i capelli grigi sciolti sulle spalle ed era bellissima nonostante i suoi settant'anni.

«Diavolo di una donna, suona ancora benissimo» diceva tuo zio Edoardo ascoltando il Quintetto di Boccherini chiamato *La ritirata di Madrid*. Lui era il solo in famiglia ad averla un poco frequentata. Il fatto è che tuo nonno, il padre di tuo padre, il pigro Pandino dalle occhiaie nere e l'indolenza di un plantigrado, non l'ha mai potuta soffrire perché Teresina aveva preso il posto della madre amata, la proprietaria di Belo. E a loro volta, i figli di Pandino erano stati educati a considerarla una estranea.

Tuo zio Edoardo, che è curioso come una gazza e ama fare il bastian contrario, ha deciso che non avrebbe tenuto conto dell'ostracismo familiare nei riguardi della bella Teresina. Lui, poi, è violinista e questa donna che "suona come un serafino" lo incuriosiva moltissimo.

In camerino, dopo il concerto, mi è sembrata di una bellezza pallida e sofferente. In effetti aveva un dolore acuto alla spalla sinistra, come ci ha detto sorridendo, e nonostante questo aveva suonato con grande raffinatezza e sapienza.

D'altronde anche nella famiglia di tua nonna, la madre di tuo padre, sono musicisti. Il tuo bisnonno Edoardo è stato un apprezzato pianista. Qualche volta mi è capitato, dopo i concerti di tuo padre e di tuo zio, di vederli tutti assieme attorno a una tavola imbandita. Il nonno pianista è ancora pieno di vita e di voglie nonostante la testa pelata, i grossi occhiali da miope e la faccia solcata dalle rughe.

La nonna Fiorenza, tua bisnonna, viene chiamata in famiglia "nonnà" ed è la persona più quieta e delicata che io conosca. Il suo corpo minuto, un poco curvo, rivela l'atteggiamento di una lunga vita di dedizione. Si vede a occhio nudo che ha passato giorni e notti a curvarsi sui figli, sul marito, sui nipoti, sul pianoforte, sui cibi, sugli animali. Tanto che il suo torso ha preso quella forma che potremmo chiamare di "attenta e scrupolosa regalìa".

Strano che ai concerti di Castelrotto i tuoi nonni non ci fossero. Di solito non mancano mai alle esibizioni pubbliche dei figli, soprattutto quando suonano insieme. È curioso che in questa famiglia di musicisti il talento abbia saltato una generazione: dai tuoi bisnonni si deve arrivare a tuo padre Arduino e a tuo zio Edoardo per ritrovare la musica in casa. Tua nonna Giacinta, che è una donna dalle grandi risorse di volontà e di organizzazione, ha cominciato suonando il pianoforte come il padre, ma poi ha finito per fare solo la madre, sebbene, fattiva com'è, abbia sempre integrato il lavoro di famiglia con molteplici attività di ogni genere.

Tuo nonno Jusuf, detto Pandino, invece era forse troppo pigro per intraprendere una qualsiasi carriera artistica. Si è limitato a scavarsi una tana dove rifugiarsi e lì è rimasto a guardare di sguincio il mondo con la segreta trepidazione che hanno gli esiliati. D'altronde gli orsi panda cosa fanno? mangiano le foglie, si ingrassano di miele e fanno collezione di oggetti raccolti nel sottobosco. Tuo nonno Pandino, infatti, raccoglie tutti i chiodi arrugginiti, tutte le viti storte, tutti i bulloni usati, tutti i fili di ferro abbandonati che trova. Conserva ogni oggetto raccattato in grandi scatole, con una targhetta sopra. E quando serve qualcosa per la casa, si può stare sicuri che lui la trova in uno dei suoi scrigni segreti.

Ti sarà capitato di aprire gli armadi della camera da letto di tuo nonno e di trovarli pieni di ganci, di catenelle spezzate, di dadi e di cacciaviti. Ti sarà capitato di aprire il frigorifero e di trovarlo farcito di medicine. Come sua madre Amina, Pandino ha una cieca fiducia nei farmaci. Tale è la sua fede nei rimedi chimici, che gli è successo varie volte di ammalarsi per avere ingerito pillole contro mali inesistenti. Nel frigorifero spesso non c'è posto neanche per il latte tanto i ripiani sono ingombri di colliri, spruzzatori nasali, pastiglie per la gola, per la schiena, per lo stomaco, per le ossa.

Ma le sue manie non finiscono qui. Pur essendo pigro e indolente, Pandino ha la passione delle armi. Tuo nonno, come tutti i nonni, ha le sue contraddizioni. È generoso, ma nello stesso tempo avaro. Famosa la sua frase: «Beppe, dammi il vino più schifoso che hai». Il fatto è che un operaio gli aveva fatto dentro casa un lavoro non richiesto e lui voleva sdebitarsi. Ma sia che il giovane muratore gli fosse antipatico, sia che volesse, in un modo sornione e indiretto, esprimere la sua avversione di classe, sia che fosse spinto semplicemente dalla voglia di scherzare, aveva voluto offrire sì del vino ma di infima qualità. Il vinaio lo aveva preso in parola. Tanto che poi l'operaio era andato a ringraziarlo e gli aveva detto: «Grazie dottó, ma quanto era cattivo quel vino; dove l'ha preso, manco fosse stato in una fogna!».

A tuo nonno Pandino piacciono i film di Zero zero sette, le ricostruzioni storiche dell'antica Roma, e pellicole per bambini come *La carica dei 101*. Lui e tuo zio Edoardo, il mio innamorato, se ne vanno al cinema quando sono soli, a godersi pellicole che nessun altro in famiglia ha voglia di vedere. E si divertono, mangiano i bruscolini e il gelato e tornano a casa contenti e felici.

Un abbraccio

tua
Vera

21 ottobre 1988

Cara Flavia,

una donna di cinquant'anni e una bambina di sei, che strana combinazione di età! generalmente si considerano estranee e lontanissime come due comete lanciate in due cieli diversi che non si conoscono e sono destinate a non incontrarsi mai.

Eppure tu mi tratti da amica e io ho per te quel sentimento di attesa trepidante che hanno le innamorate quando gli amati partono per terre lontane da cui non si sa se torneranno.

Cara Flavia che non mi sei parente, che non mi sei coetanea, che nonostante questo mi sei vicina, come è possibile che ti scelga come confidente quasi fossi una donna fatta con tanto di passato alle spalle?

Sono qui per parlarti di tuo zio Edoardo, come al solito. Ma non posso parlare di lui senza parlare di te; ti ricordi quella sera al concerto di Castelrotto? eravamo sedute vicine, tu con le tue lunghe calze bianche, la tua gonna scozzese, la tua camicetta rossa, io con la mia lunga gonna nera e la camicia da sera color chiara d'uovo. Tuo padre Arduino e tuo zio

Edoardo suonavano insieme con un pianista e un violista il Quartetto in sol minore di Mozart.

I riflettori erano ancora un poco storti. Eppure li avevo raddrizzati durante le prove. Poiché ho una certa esperienza di teatro mi sono proposta di sistemarle io quelle luci che un elettricista distratto aveva puntato proprio contro gli spettatori, ti ricordi? Ma il tempo era scarso e loro avevano fretta di provare e che ci facevo io in cima a quella scala piantata come una V rovesciata in mezzo al palco?

Ho spesso notato che le luci, nei concerti, sono sballate: o illuminano il musicista dall'alto, schiacciandolo, o lo colpiscono in faccia accecandolo, oppure lo lasciano in una semioscurità altrettanto fastidiosa. Insomma, al contrario di quello che succede in teatro, si pensa che un concerto non abbia bisogno di una qualche strategia luminosa. Mentre dovunque si crea una divisione, dovunque si stabilisce un rapporto frontale fra chi esegue e chi ascolta, le luci sono essenziali nel favorire o sfavorire l'incontro.

Tu, quella sera, Flavia, avevi i capelli legati sulla nuca con un fiocco rosso cardinale e tenevi tanto a quel fiocco che non volevi schiacciarlo appoggiandovi sopra il solito cappelletto color ciliegia che pure consideri parte integrante del tuo corpo. Eri molto incerta fra l'eleganza un poco "cochetta" del tuo fiocco e quella baldanzosa del tuo cappello.

Tu sei una bambina che tiene ai vestiti, lo sanno tutti in famiglia. Mi ha raccontato tua madre che quando sei andata a Venezia con tua nonna Giacinta e tuo nonno Pandino, alzandoti la mattina, nella camera d'albergo, la prima cosa che chiedevi era: che vestito mi metto oggi? E contrattavi a lungo e cocciutamente perché avresti voluto infilarti l'abito di seta ricamata la mattina, mentre la sera saresti andata in giro con i jeans.

D'altronde anche tua madre è una donna elegante sebbene sobria. Si veste come una giovane signora, madre di una figlia di sei anni, moglie di un noto violoncellista che la sera spesso deve indossare dei completi blu notte quando non addirittura il frac. Ma nella sua eleganza cittadina tua madre mantiene un poco dei suoi ricordi di un'adolescenza ancora non troppo lontana. Perciò: pantaloni stretti, camiciole aperte sul collo, giubbotti bianchi o rosa.

Tante volte mi hai chiesto, quasi fossi un Paride che deve consegnare la mela d'oro: è più bella la mamma o quella signora laggiù? E io ti rispondevo che la bellezza non è qualcosa per cui si gareggia: ciascuno ha qualcosa di bello da scoprire; l'attenzione è la chiave della scoperta.

Tua madre Marta ha una bellezza fatta di disarmonie attraenti: gli occhi molto vicini, per esempio, le danno una espressione eternamente sorpresa e sognante; la bocca grande, il sorriso che rivela, oltre ai denti, anche le gengive, accentuano il carattere infantile della sua personalità. Quel collo lungo e snodato, quei capelli rossi di cui lei si fa bandiera, le danno un'aria puntigliosa e caparbia, ma nello stesso tempo c'è in lei un atteggiamento ritroso e impaurito come se si aspettasse da un momento all'altro un colpo sulla schiena.

Tua madre suona bene il pianoforte, avrebbe potuto fare la concertista. Te la immagini seduta al piano, vestita di nero, la vita stretta in una cintura colorata, una collana di perle al collo, davanti ad un pubblico attento e concentrato?

Nella sala non si sente un respiro, nessuno che si

raschi la gola, che dia un colpo di tosse, niente. Da quando tua madre ha appoggiato le mani sulla tastiera il silenzio si è fatto corposo, compatto.

E ora quelle mani piccole e nervose si muovono sui tasti, volando, e nella loro abilità e leggerezza sono capaci di tirare fuori dal cassone nero qualcosa di stupefacente: degli sciami di farfalle che invadono frusciando la sala. Il pubblico trattiene il fiato, stregato da quelle mani. Ed ecco che la tua mamma, nel pieno del concerto, volta un poco la testa verso la sala perché tu, la sua unica figlia, sei seduta in prima fila e la guardi amorosamente. È un lampo, un brevissimo segno di intesa, ma basta per farti felice. Tua madre è già tornata alle sue note, la fronte corrugata per lo sforzo della concentrazione. La musica si srotola magnifica davanti ai tuoi, ai miei occhi, avanzando luminosamente fino alla fine del concerto quando la sala esplode in una ovazione spontanea e commossa.

È un peccato che tua madre abbia rinunciato a fare la concertista. Non lo pensi anche tu quando la senti tamburellare con le dita graziose sopra la tastiera del suo pianoforte mentre aspetta in cucina che si cuocia il riso per te e per tuo padre?

«Nessuno mi ha costretta a rinunciare» mi ha detto una volta «so che non ho abbastanza talento per farmi un nome. E poi c'è troppa concorrenza nel mondo dei pianisti, non basta essere bravi, bisogna essere geniali e avere una determinazione che io decisamente non ho. E poi chi si occuperebbe di Arduino e di Flavia?»

Certo è vero che se anche lei facesse la concertista qualcun altro dovrebbe cucinare per te. Chi ti sveglierebbe la mattina, chi ti preparerebbe la colazione, chi ti porterebbe a scuola, chi ti metterebbe a letto, chi ti racconterebbe le favole per addormentarti?

Le mamme fanno le mamme, tu dici. Quindi niente concerti, niente viaggi all'estero. Il marito, i parenti, la gente intorno avranno davvero riconoscenza per queste rinunce professionali? O non sarà che, dopo averla costretta a scegliere fra professione amata e maternità, la tratteranno con sufficienza dicendo: «In fondo le donne sono poco portate per l'arte?».

A Flavia non piace che sua madre si dedichi a qualcosa che non sia lei, anche questo può sembrare egoista. Vedo da come la guardi, tua madre, che sei abitata dall'ansia del possesso. Ma quanto è lecito per una madre acconsentire alla volontà di possesso dei figli? Non è un modo di perpetuare un'idea di irrilevanza delle professioni al femminile?

Ma torniamo a quella sera a Castelrotto quando noi due ci siamo sedute davanti al palco e abbiamo "bevuto" la musica che sgorgava da quei legni cavi come fosse acqua zuccherina. Nell'entusiasmo ti ho preso una mano e mi sono accorta che dormivi, una volta tanto avevi ceduto ai sonni della tua età. Al tocco delle mie dita, hai aperto gli occhi e mi hai sorriso. «Stavo sognando di suonare» mi hai sussurrato all'orecchio. Così il circolo si era chiuso. Tuo padre suonava sognando di essere te che lo guardavi e tu lo guardavi sognando di essere lui che suonava.

Ti mando un bacio

tua
Vera

26 ottobre 1988

Cara Flavia,

non pensavo proprio di sentirti. Perciò, quando hai contraffatto la voce e hai detto: «Pronto, sono la sua vicina di casa», ci sono cascata. Adesso protesterà per il gatto che va a nascondersi nella sua terrazza, mi sono detta. E invece: «Sono io» hai urlato nella cornetta, proprio come avevi fatto con tuo zio all'Hôtel Bellevue quando avevi finto di recitare la parte della cameriera. Sai che potresti fare l'attrice? Il talento non ti manca.

Mi hai subito chiesto del folletto: «Come sta, mangia?». No, mangia poco, proprio come te. Sta bene, anche se soffre un poco di solitudine. Quando vado in campagna si infila nei miei stivali e se ne sta rintanato finché non arriviamo al cancello. Lì salta fuori e corre a perdifiato; perché ama correre e saltare.

Quando sta a Roma invece si nasconde fra i miei libri dove si è fatto un nido cartaceo e lì dorme e sogna. Ogni tanto salta giù ed esce in terrazza a mangiare una foglia di geranio. Qualche volta gli prende l'uzzo di contare le formiche che vanno su e giù dall'albero di limone. Hanno un gran daffare quelle formiche e non c'è niente al mondo che le dissuada dal montare su quel tronco, e sai perché si affaticano tanto? perché fra i rami del limone, lì dove le foglie sono più tenere e i germogli crescono più morbidi, fanno il nido le coccinelle. Sono bestioline che, a prima vista, sembrano graziose e delicate, con quel dorso lucido smaltato di rosso e picchiettato di nero, ma conoscendole ti posso dire che sono creature avide e ingorde decise a divorarsi la pianta, pezzetto per pezzetto, corteccia e midollo, fino a distruggerla.

A loro volta le formiche non sono meno avide e ingorde: si arrampicano in fila indiana su per il tronco, si infilano dentro i nidi delle coccinelle e divorano i piccoli appena nati. Questi nidi sono straordinari: dei chioschetti candidi dalle frange che si muovono al vento: assomigliano, in piccolo, alle tende che usano montare gli inglesi nei giardini per i rinfreschi. Dopo essersi rimpinzate di larve di coccinelle, le formiche se ne stanno in panciolle leccandosi per ore le zampine sporche di sangue arancione.

D'altronde anche noi, vero Flavia, anche noi che ci preoccupiamo per un gatto dalla zampa spezzata o per un cane abbandonato, poi facciamo finta di non sapere come vengono uccisi i vitelli per fornirci di bistecche: in fila di prima mattina al mattatoio, uno dietro l'altro, aspettando il turno per sottoporsi al crudele chiodo pneumatico che spacca loro il cranio in un secondo. E la cosa più atroce è che mentre fanno la fila, vedono morire i figli, i fratelli, le madri, i padri. E quando li trasportano da un paese all'altro, da una città all'altra, li spingono dentro dei vagoni sprangati in cui sono costretti a stare in piedi per giorni interi, facendosi i bisogni l'uno addosso all'altro, senza mangiare e senza bere (tanto vanno a morire e chi se ne frega), proprio come facevano i nazisti con le loro vittime.

Ma non voglio rattristarti, Flavia. Chiediamoci invece se tu, da grande, suonerai il pianoforte come il bisnonno Edoardo e come mamma Marta che però ha smesso prima di avere compiuto trent'anni. Il bisnonno Edoardo, invece, che pure ha ottant'anni, ancora continua a suonare e ogni tanto se ne vanno tuo padre, tuo zio e lui a tenere un concerto in qualche città di provincia.

Un giorno sono andata con loro a San Leo. Peccato che tu non ci fossi. Mi pare che avessi mal di testa. Oppure era tua madre che aveva mal di testa. Si pensa sempre ad una donna nel pieno delle sue forze quando si parla di dolori alla nuca o alle tempie. Una donna che deve giustificare il suo rifiuto per qualcosa o qualcuno che le viene imposto. Il mal di testa come lo svenimento, una volta era il codice elementare del linguaggio femminile. Hai visto che le donne non svengono più? Forse hanno altri modi per dire no. A te non verrebbe in mente di svenire perché non vuoi andare a scuola.

Mia nonna a quindici anni "perdeva i sensi" quando le negavano il permesso di cantare. Ma siamo sicure di essere del tutto uscite da quell'arcaico codice linguistico che mette in moto il corpo anziché la parola, che dà grandi segnali di sé attraverso le malattie, i silenzi, le paralisi anziché il pensiero articolato? Il pensiero e la parola appartenevano così poco, per educazione storica, alle abitudini femminili che risultavano agli stessi sensi delle donne poco credibili.

Di giorno, i nostri musicisti hanno provato nella

sala del Comune: tuo padre Arduino, tuo zio Edoardo, tuo bisnonno Edoardo. Ma il pianoforte era scordato e il tuo bisnonno ha rifiutato di suonare finché non fosse arrivato l'accordatore. Alla fine eccolo l'accordatore "con la piuma sul cappello", tanto era stato invocato e desiderato.

A me piace assistere alle prove: la musica, scomposta, divisa e ripetuta a frammenti, si apre davanti agli occhi come un ingranaggio di cui si scoprono i più nascosti segreti.

Quella sera a San Leo faceva molto caldo, non c'era un alito di vento, l'umidità rendeva scivolosi i tasti del pianoforte. Tuo padre e tuo zio hanno fatto merenda con pane e gelato. Poi si sono infilati il frac ed eccoci tutti nel cortile della parte più antica della rocca, quella in cui è stato imprigionato Cagliostro, un avventuriero del Settecento.

Le luci ancora una volta erano mal piazzate. Purché il palco sia illuminato, devono avere pensato, che importanza ha? Ma le facce erano al buio e i corpi tagliati a metà, resi mostruosi da gobbe e deformazioni create da due prepotenti proiettori orientati a casaccio.

Il Trio in re minore di Mendelssohn te lo ricordi? Tu non c'eri ma certamente l'avrai sentito provare chissà quante volte da tuo padre, in casa col violoncello. Quel violoncello che occupa tanto spazio nel vostro piccolo appartamento romano, quasi fosse un fratello di latte. Quel violoncello che, quando andate in giro in automobile, prende posto sul sedile anteriore, vicino al papà, mentre tu e tua madre siete costrette a sedervi dietro fra i bagagli.

L'inizio è struggente, ti ricordi? Il primo a cominciare è proprio il violoncello, seguito con una gioia trattenuta e sensuale dal pianoforte: la re, la re do re fa... È un motivo ondoso che ti porta subito in alto mare ed è lì che entra tuo zio Edoardo col suo violino, quasi una lancia dalle vele spiegate e leggere che si accinge a inseguire gli altri barchi sull'acqua. I legni si cercano, si sfiorano, si oltrepassano. Il loro dialogare liquido, scandito, è quasi un giocoso interpellarsi a vicenda: ci sei? dove sei? sono qua, ma dove sei? eccomi, mi guardi? sì, ti vedo, ci sei? ci sono; ti vedo; anch'io; e tu? anch'io, ma dove sei? sono qui, ma dove?

Gli strumenti certe volte hanno una voce così umana e quotidiana che ti sembrano degli amici, dei parenti in visita.

Il tuo bisnonno Edoardo, con gli occhiali scivolati sul naso sudato, incalzava il pianoforte con una supplica segreta: per favore non abbassare il tono, per favore tieni alti i diesis, per favore fai vibrare la tua voce, per favore non farmi slittare le dita sui tasti che sono viscidi come dorsi di pesci.

Era una faccia spaventata la sua e contrastava comicamente con la pretesa sicurezza del vecchio professionista che da cinquant'anni è abituato ad avere la meglio su quell'intrico delicato di corde, legni, feltri, tavolette, avorii, fili di metallo, martelletti che si chiama pianoforte.

Tuo padre aveva puntato il violoncello contro una fessura del palco di legni accostati in modo maldestro, sperando che la punta non finisse per incastrarsi troppo tirando giù lo strumento, ma nello stesso tempo sperando che la fessura non si slabbrasse scalzando la punta.

Non si può dire che la calvizie non lo crucci. Lo si vede da come distribuisce sul cranio i pochi capelli rimasti con un lavoro da sapiente giardiniere. Non ha che trentotto anni tuo padre ma certo fra poco gli resteranno solo le basette e i baffi. Di peli sulla faccia ne ha tanti, anche precocemente ingrigiti. E a lui piace bardarsi da cane spinone, con baffi, barba e basette cespugliosi come per compensare la nudità del cranio.

Le sue braccia si allargano a stringere il violoncello con un gesto appassionato. Si tratta di un abbraccio, più che di amico, di amante possessivo, quasi a dire: questo strumento è mio e solo io so farlo cantare come un uccello prezioso.

Così, con questo atteggiamento di dominio e nello stesso tempo sognante tuo padre Arduino prende l'archetto e lo fa frusciare contro le corde con mano delicata e decisa. Il suono che ne ricava è stranamente pacato e dolce, quasi arreso, felice.

Proprio in quel momento è successa una cosa stranissima: si è visto qualcosa di nero tagliare l'aria e andare a cadere ai piedi del violinista. Cosa sarà mai? un cencio gettato da una finestra? un cappelluccio volato dalla testa di qualcuno? ma quale cencio che intorno non ci sono case e quale cappello che non c'è un filo di vento?

Quando ormai nessuno pensava più a quello strano oggetto caduto in scena, lo si è visto sollevarsi verso l'alto battendo le ali. Era un minuscolo pipistrello stordito dalle luci. C'è stato un coro di "ah!" e di "oh!" da parte del pubblico, ma per fortuna nessuno si è mosso dalla sua sedia. Il pipistrello sembrava volersi fermare sul palco senza fare pericolose incursioni dalle parti del pubblico. Infatti ha preso a volteggiare intorno ai suonatori. Tutto stava nella capacità di autocontrollo dei musicisti: se si fossero fermati il pubblico certamente avrebbe cominciato ad agitarsi, molti sarebbero usciti contagiati dalla paura.

Ho visto gli occhi di tuo zio che seguivano allarmati il volo del pipistrello ma senza abbandonare le corde del violino e la musica di Mendelssohn. Se non fosse assurdo direi che con un occhio seguiva il pipistrello e con l'altro il suo strumento.

Tuo padre si è accorto più tardi dell'intruso e ha chinato la testa sul suo legno come per dire: passi pure la tempesta, nessuno fermerà il mio canto. In quanto al tuo bisnonno, poiché stava seduto di fianco rispetto al pubblico e poiché i riflettori lo illuminavano di spalle, non aveva visto l'animaletto in volo, ma capiva che qualcosa di strano stava succedendo e cercava di indovinare cosa fosse allungando il collo in modo tartarughesco.

Dal sudore che colava sulle tempie di tuo zio ho capito che stava facendo un grande sforzo su se stesso per non interrompersi nonostante lo svolazzare sempre più disperato del pipistrello sul palcoscenico. E se si fosse posato su uno degli strumenti? E se fosse andato ad impigliarsi nei suoi folti capelli? Il pericolo era la distrazione, l'incespicare di una nota in quella lucida e scorrevole armonia.

Infine, così come era arrivato il pipistrello se n'è andato uscendo miracolosamente dal cerchio magico delle luci. Il pubblico ha tirato un sospiro di sollievo. Tuo zio ha avuto un leggero sorriso di contentezza, il concerto è arrivato alla fine senza altri intoppi.

Tu volevi che tuo padre ti guardasse: «Il papà non mi guarda mai. A cosa pensa quando suona, lo sai?». Dovremmo chiederlo a lui. Ma tuo padre parla poco, lo dice anche tua madre. E soprattutto considera che le bambine di sei anni non devono fare domande ma stare a vedere e imparare silenziosamente. Il tuo papà è un uomo che crede fermamente nelle tradizioni anche se poi è preso da stranezze improvvise e inaspettate. Come quando ha deciso che non poteva dormire in città perché gli mancava il rumore della risacca che lo aveva aiutato a riposare durante l'estate. Così si è costruito un incredibile marchingegno per creare artificialmente il rumore che fanno le onde quando si buttano sulla rena.

Il suo talento manuale è talmente straordinario che l'illusione era perfetta. E per settimane tuo padre ha dormito accompagnando il sonno con il fruscio del mare in bonaccia. Quel frastuono della macchina imitamare impediva invece a tua madre di riposare e per questo se n'era andata a dormire sul divano del salotto.

Di fronte al "fai da te" tuo padre non si scoraggia mai. Quando tu avevi due anni si è fabbricato una radio così potente che poteva ascoltare i respiri di un indiano d'America standosene comodamente seduto nella sua poltrona a Trastevere.

Da tuo nonno Pandino invece ha ereditato l'amore per le armi. La casa dei nonni, tu lo sai, è tappezzata di sciabole, moschetti, alabarde, carabine, pistole di ogni tipo e di ogni epoca. Da ultimo si sono aggiunte anche delle armature medioevali complete di cotta e guantoni di ferro.

Questo mi ricorda che una volta, in Argentina, tuo zio ha comprato per suo padre una pistola dell'Ottocento, tutta intarsiata, e alla frontiera per poco non ci hanno cacciato in galera. Tuo zio diceva: «Tanto non si accorgono di niente». E invece se ne sono accorti e lì per lì hanno pensato ad un progetto di dirottamento. Poi, su insistenza di tuo zio, hanno dovuto riconoscere che si trattava di una pistola antica che non poteva più sparare e ci hanno fatto una multa salata per "esportazione abusiva di oggetti d'arte".

Chissà cosa cova nella testa di Pandino che in gioventù è stato fascista, ha aderito alla Repubblica di Salò e tuttora coltiva un suo sogno solitario di rivincita ideologica mentre la moglie e i figli hanno preso le strade più agevoli del buonsenso socialista.

Le novità, gli obbrobri inaccettabili del mondo moderno hanno acquisito per Pandino la forma dei gatti in amore: una sconcezza da eliminare col fuoco. Una volta sembra che abbia sparato due pistolettate ad un gatto che scendeva ignaro e altezzoso le scale di casa dopo una miagolosa partita d'amore.

E lui non sbaglia un colpo, ha una mira perfetta, anche se poi spara poco per via di quella pigrizia che gli ha guadagnato il soprannome di Pandino. Una volta all'anno però prende il figlio minore, tuo zio Edoardo, e se ne va in riserva a cacciare i cinghiali. Sono belli grossi, quasi delle bestie di allevamento. E loro, in tenuta da perfetti cacciatori, li inseguono per ore, mandando avanti i cani. Poi, quando finalmente li stanano, tirano dei colpi rapidi e precisi e le bestie giacciono per terra insanguinate. I cani continuano a latrare, gli uomini si avvicinano osservando con un poco di pietà quelle zampe che ancora corrono agitandosi e quegli occhi liquidi che si spengono con esasperante lentezza.

Tuo zio Edoardo in verità non ama la caccia, ha firmato per la sua eliminazione all'ultimo Referendum, ma quando il padre gli annuncia la partita in riserva, lui ci va. Si consola dicendo che sono animali tenuti sotto controllo: nessun attentato insomma contro specie rare, contro animali in estinzione. Anzi «si riproducono con tanta rapidità che è un bene eliminarne qualcuno».

Anche tuo padre sa sparare bene. Ha imparato da tuo nonno Pandino che ha fatto una buona scuola. Mi pare di avere sentito che tiene una pistola accanto al letto «per ogni evenienza».

Non so se te l'ha mai raccontato di quella volta che ha trovato un topo dentro la tazza del cesso; ma allora tu non eri ancora nata; tuo padre abitava con tuo zio in un appartamento a pianterreno che dava sul giardino di via Garibaldi, e io amoreggiavo con tuo zio da solo un anno.

Stavo cominciando allora ad accorgermi che non mi ero imbarcata in una storia d'amore con un uomo dal meraviglioso talento musicale ma con una intera tribù profondamente legata e solidale. Una tribù i cui legami sono così complicati e robusti e profondi che non ho potuto neanche capirli veramente.

Alla prossima volta, con affetto

tua
Vera

Cara Flavia,

ieri notte ti ho sognata. Eri vestita come allo Sciliar, con la gonnellina scozzese, il cappelletto color ciliegia e le scarpe rosso pomodoro. Mi dicevi: «Ma perché lo zio Edoardo ride da solo?» e io non sapevo cosa risponderti. Tu mi guardavi divertita dal mio imbarazzo. Poi vedevo che tenevi in braccio un coniglio bianco e lo carezzavi, teneramente. Subito dopo, con un gesto distratto delle dita, gli staccavi un orecchio. Io te lo strappavo di mano ma nel farlo scoprivo che era un coniglio di zucchero. Sei scoppiata a ridere e io con te.

Tuo zio Edoardo in effetti ogni tanto ride da solo. E se gli chiedi: di che ridi? ti può rispondere: di niente, perché lui è un tipo a cui piacciono i segreti ed è il maestro delle dissimulazioni. Oppure ti può rispondere: di quella volta che mio fratello sparò al topo.

È così che ho saputo la storia di tuo padre che, avendo visto una mattina il muso di una grossa pantegana sporgere dal fondo della tazza del cesso, si precipitò con i calzoni ancora calati a prendere il fucile. Lo puntò contro la tazza e fece fuoco mandando in mille pezzi sia il topo che il cesso. «Ma la cosa più buffa è stata la faccia dell'idraulico quando è venuto a riparare i danni.» E nel raccontarlo, ogni volta, ride a lungo da solo facendo gorgogliare la voce in gola.

Tuo padre è un uomo di carattere e le sue battaglie con i topi le ha sempre vinte alla grande. Anche tuo zio è un cacciatore di topi, ma lui al fucile preferisce la trappola. Una volta, in campagna da me, in un pomeriggio ne ha ammazzati diciotto. Topi minuscoli, sai, di quelli campagnoli, teneri, col codino lungo e gli occhi a spillo. La casa ne era infestata e non si sapeva come cacciarli via. Una mattina presto, scendendo in cucina avevo trovato una mamma topa col figlio topino arrampicati sulla bottiglia semivuota dell'olio. La mamma immergeva la coda nel poco olio rimasto, la tirava fuori e la dava da leccare al suo topino.

Per la sorpresa, nel vedermi a quell'ora inattesa, la mamma topa è caduta dentro la bottiglia e il piccino si è nascosto dietro il cestino del pane. Ho sdraiato la bottiglia in modo che il topino, inseguendo la madre, si infilasse anche lui dentro il vetro e poi li ho portati nel bosco dove li ho abbandonati con tutto l'olio.

Ma chissà quanti figli si era lasciata dietro quella mamma topa perché la casa puzzava dei loro escrementi. Per fare i bisogni amavano nascondersi dentro le pentole. E poi erano ghiotti di crine di cui sono imbottite poltrone e divani. Ogni volta che andavamo nella casa di Campo di Mare trovavamo i divani rosicchiati e le pentole piene di escrementi e mi toccava lavarle ad una ad una col disinfettante.

Così tuo zio Edoardo ha deciso che ci avrebbe pensato lui. Ha comprato una trappola a molla, di grande precisione: «Meglio un colpo solo che farli morire di veleno». Su questo ero d'accordo con lui: ricordo la volta che qualcuno aveva sparso sul pavimento della colla che doveva imprigionare e uccidere i topi. Due giorni dopo ci ho trovato solo una lucertola arrabbiatissima che si dimenava non riuscendo a staccare le zampine dal pavimento. Gliele ho dovute pulire una alla volta con l'alcol mentre, molto ingrata, la lucertola tentava di mordermi le dita.

In questo modo tuo zio "torero" ha messo in azione la sua strategia: dei piccoli bocconi di formaggio appesi alla trappola. I topi accorrevano. Si sentiva un colpo leggero e sicuro, uno solo e la molla si chiudeva rapida uccidendo il malcapitato. Erano diventati così impudenti questi topi, da ultimo, che ormai attraversavano la cucina in pieno giorno mentre facevamo colazione, sbucavano dai divani mentre leggevamo, si intrufolavano fra le scarpe mentre camminavamo. Una volta mi sono infilata una giacca che stava appesa da settimane nell'ingresso e due topolini sono saltati fuori contemporaneamente dalle due tasche, uno a destra e uno a sinistra.

Fra i tanti ce n'era uno che vedevamo spesso, che avevamo chiamato "orecchiacce" perché aveva due orecchie a sventola quasi più grandi della testa. Si affacciava a spiare le nostre mosse e appena distoglievamo lo sguardo si precipitava in punta di piedi verso la credenza. Era velocissimo a sparire quando si sentiva a sua volta osservato. Per riapparire dopo qualche ora dietro un armadio, sotto i fornelli, fra le scope e la pattumiera.

Quel giorno di primavera, era una domenica, la

strage è stata feroce. Si sentiva scattare in continuazione la molla della trappola. A volte accompagnata da un piccolo grido rauco, a volte niente. Il topo moriva all'istante. «Hai visto come sono buone queste trappole?» diceva tuo zio e dovevo dargli ragione. In cuor mio speravo che "orecchiacce" si fosse salvato, mi era decisamente simpatico. E invece è stato uno dei primi a cadere. Anche se poi, una settimana dopo, ho visto una mattina due orecchie tonde e sporgenti che si affacciavano da sotto l'acquaio e mi sono chiesta se fosse ancora lui o un suo fratello o addirittura un figlioletto. Certo aveva le orecchie a sventola come lui.

Sai che io, nel calendario astrologico cinese, sono del segno del topo. Forse per questo mi sono simpatici. Forse un poco mi sento topo anch'io. "Carattere combattivo, ma segreto", dice il calendario cinese, "non si batte in campo aperto se non vi è costretto, in quel caso è pronto a lasciarci la pelle. Tenace, prudente, ha forti sentimenti e forte volontà, ma sta più volentieri al buio a guardare gli altri piuttosto che in piena luce a farsi guardare."

Una volta i topi portavano la peste, forse per questo molta gente ne era terrorizzata. E ancora oggi il topo fa paura. Aveva in comune con gli uomini un parassita: la pulce. Era per via di quell'animaletto succhiasangue che si trovavano fianco a fianco nella tragedia.

Eppure per molti popoli arcaici i topi avevano un valore magico. I Bambara africani, leggo nel bel libro dei simboli curato da Chevalier e Gheerbrandt, li consideravano delle divinità. "A loro venivano dati in pasto i clitoridi delle ragazze escisse". Si pensava che il sesso del primo figlio sarebbe stato determinato da quello del topo che mangiava il clitoride della madre.

In quel loro abitare nelle parti sotterranee delle case, rappresentavano il punto di contatto degli uomini con l'oltretomba, quasi dei mediatori, dei sacerdoti del confine fra vita e morte.

È un peccato avere perso questo sentimento "topale" delle cose del mondo. Oggi i topi sono visti con disgusto e apprensione. Abitano nelle fogne delle città, si nutrono di rifiuti, sono grottescamente giganteschi e dotati (per lo meno nella fantasia dei cittadini) di una forza da tigri. Si racconta che a Roma, un gruppo di giovanotti addetti alle disinfestazioni scesi nelle viscere della città per cacciare topi, si siano visti venire incontro degli orsi neri dai denti taglienti come sciabole e le unghie uncinate come grossi ganci. Si racconta che i robusti giovanotti, lasciando a terra tutti i loro attrezzi ultramoderni, se la siano data a gambe per non essere fatti a pezzi. Da allora, si sostiene, la pace cittadina è basata su un accordo tacito: gli uomini regnino pure al di sopra dell'asfalto, nelle loro case, ma i sotterranei, le cave, i budelli, le fogne, saranno dominio assoluto di eserciti di topi feroci.

Questo fa parte degli obbrobri cittadini. In campagna i topi sono piccoli e innocui, testardi e generosi, timorosi dell'uomo e ladruncoli, innamorati del formaggio e dell'olio, non farebbero male ad una mosca. Certamente il calendario cinese si riferiva a questi topi e non a quei mostri che si riproducono nelle malsane fogne delle metropoli.

Tuo zio Edoardo invece, secondo l'astrologia cinese, è una scimmia: "Rischia la vita per soddisfare la sua curiosità che è onnivora e perpetua", è scritto nel libricino, "astutissima, ama gli scherzi, si muove con leggerezza, è sensibile, intelligente, sa cosa vuole e come ottenerlo. Raggira chiunque se si propone di farlo: è ladra, acrobata, distaccata, umorista, scaltra, ma anche affettuosa e tenera, salvo quando si mette in mente di fare dispetti, in quel caso diventa anche crudele. Quando le serve, sa essere perfettamente doppia; ruba con sincerità, colpisce con innocenza. La sera non sa quello che ha fatto la mattina".

Di tuo padre non conosco l'animale simbolo, non so neanche in che mese e in che giorno sia nato, ma certamente si tratta di un segno opposto a quello di tuo zio. I due fratelli infatti si assomigliano ben poco. Anche fisicamente, tu lo vedi, Arduino non è alto, ha la tendenza a perdere i capelli, i suoi tratti sono morbidi e regolari, mentre tuo zio Edoardo è alto un poco più della norma, ha tanti capelli che gli crescono disordinatamente sulla testa, e i suoi tratti sono meno regolari: la bocca è capricciosa, il sorriso timido mette in mostra due canini molto sporgenti, gli occhi sono grandi e gentili, il mento piccolo, le mani lunghe e pelose, i piedi piatti, le gambe snelle e ben fatte, le spalle un poco scivolate.

Mi dispiace che, pur vivendo nella stessa città non ci vediamo mai, cara Flavia; avrei molte cose da raccontarti sul mio folletto che ha fatto la cuccia fra i miei libri, che ogni tanto russa così forte che mi impedisce di scrivere. Ma temo che i tuoi abbiano qualche perplessità nei miei riguardi: se poi le mette in testa qualche idea balorda? Tuo nonno Pandino ha detto una volta che scrivo "delle cose indecenti". Il tuo bisnonno Edoardo, poi, non ha ancora digerito l'idea che una donna divorziata faccia vita in comune con un giovanotto di quasi vent'anni più giovane di lei.

La parte femminile della famiglia, per fortuna, è più indulgente nei riguardi delle "stranezze" della nuova generazione e tu forse l'hai capito. La tua bisnonna chiamata nonnà mi ha detto una volta quasi di nascosto: «Da quando Edoardo sta con te suona meglio, è maturato, cresciuto, decisamente migliorato».

Anche tua nonna, la bella Giacinta, mi tratta con una sua rude simpatia cameratesca. Non perché pensi che questo rapporto abbia un futuro. Ma proprio per questo, perché sa che non ci sono matrimoni in vista, mi dimostra una qualche benevolenza.

Quando ci sono i pranzi in famiglia di solito non vengo invitata. Lo so e non me ne adonto. Conosco il pensiero segreto che, anche se non dichiarato, serpeggia nella tribù: perché un giovanotto di così grande bellezza, di così grande talento, di così grande sensibilità deve perdere la sua vita con una donna più vecchia di lui, con un mestiere così chiassoso per giunta, invece di sposarsi con una bella ragazza giovane che gli faccia subito un figlio tondo e bello che probabilmente si chiamerà Arduino come il nonno o Fiorenza come la nonna nel caso fosse una bambina?

Mi addolora che non andremo a Castelrotto questa estate. Non so per quale ragione economica (i Festival sono sempre a corto di soldi) i concerti di musica classica sono stati sostituiti da assolo di musica rock. Non potrò vederti e non potrò godermi un poco di montagna al fresco. Mi sono abituata a quell'appuntamento settembrino. Mi piaceva aspettare dietro la porta a vetri dell'Hôtel Bellevue il tuo ingresso, vederti correre verso di me nel tuo abitino scozzese, col cappelletto rosso ciliegia in testa e le scarpe rosso pomodoro ai piedi.

«È proibito voltarsi indietro, è proibito voltarsi indietro», ripete una voce petulante. «Ma perché?» «Hai sentito cosa è successo alla moglie di Lot?» «Ma alla moglie di Lot era stato proibito di voltarsi perché dietro di lei bruciava una città peccaminosa, una città sessualmente "perduta", punita col fuoco per le sue perversioni.»

Ecco che la curiosità viene in qualche modo abbinata all'Eros: guardare per guardare è "perverso", dice la voce di Dio. È per questo che è morta la moglie di Lot. Ma trasformarsi in una statua di sale non è morire. O sì? Non significa fissare per sempre il corpo di una donna dentro un calco che né il sole né i venti potranno intaccare? Una bella statua, dalle braccia tornite, bianche, i capelli bruni scivolati sulle spalle, la tunica a pieghe svolazzante, le gambe muscolose immobili nell'atto di correre. Così è stata colta dal gelo la donna curiosa il cui corpo forse potrà essere corroso solo dall'acqua che, rivolo dopo rivolo, la ridurrà ad un mucchietto di sale sporco. È questa la fine di chi si lascia tentare dalla curiosità? Gettare l'occhio sulle città perverse del passato sarà il principio della rovina? Ma lo scrittore fa di mestiere "il curioso". E sarà per questo punito?

Tua madre ti seguiva con un sorriso pentito perché lei, quando sorride, è come se nello stesso tempo si chiedesse perché lo fa e si rimproverasse della sconvenienza di quell'abbandono. Accanto a lei ecco tuo padre Arduino che a volte si lascia crescere i baffi, a volte la barba così che non sai mai se ti apparirà camuffato da D'Artagnan o da Cecco Beppe.

Prima scende lui dalla macchina col suo violoncello chiuso nell'involucro nero, poi tu con un salto dal sedile posteriore e poi tua madre. Il tuo istinto ti porterebbe a precipitarti verso l'ingresso agitando le braccia ma ti trattieni perché anche tu hai preso qualcosa di quel sentimento della dignità seriosa che accompagna i gesti misurati di tua madre Marta.

Quindi, niente salti, niente corse, niente di scomposto e di eccessivo. La vita è un precario camminare sul bordo del burrone e non bisogna muoversi troppo altrimenti si rischia di cadere di sotto, non è così?

Da dietro i vetri della porta girevole ti vedevo venire verso di me con quei tuoi passettini buffi che vogliono conciliare il desiderio di scatenarti con la grave consapevolezza dei tuoi compiti di "bambina a modo".

Finalmente entravi in quell'ingresso grande, tetro, dall'arredamento "classico". E mi raccontavi del viaggio dopo esserti tolta, con un gesto regale, il cappelletto color ciliegia e avermi dato un bacio affettuoso sulla guancia.

«Sai, la mamma ha avuto mal di mare nelle curve.» «Sai, il papà e la mamma non hanno detto una parola da Roma a qui, ho parlato solo io.»

Con dei gesti accurati liberavi la gonna dalle briciole di biscotto che avevi sgranocchiato venendo su da Bolzano. E poi mi chiedevi dello zio Edoardo.«È su in camera col suo violino.» E subito dicevi: «Andiamo a trovarlo?».

Mi prendevi per la mano e mi trascinavi verso la stanza del primo piano. Ma non avevamo fatto due passi che tua madre ti fermava ricordandoti il tuo dovere: «Prima lavati le mani, Flavia, poi saluterai lo zio».

Il nostro ospite, il direttore del Festival, ci aspettava nella sala da pranzo. Dove avremmo bevuto un caffè e gli uomini avrebbero discusso degli orari delle prove e dei concerti.

Forse avremmo trovato anche delle belle fette di strudel preparato dal cuoco siciliano. Ma a te i dolci non piacciono, tanto più lo strudel con quelle mele e quell'uvetta schiacciate insieme che ti fanno pensare alla "pappa per le galline". A te piacciono le cose salate, le paste asciutte, i salumi, i sottaceti. Però hai la tendenza a riempirti il piatto per poi lasciarlo lì quasi intoccato. Per questo la tua mamma dice che le fai venire il "mal di testa".

Per invogliarti a mangiare la carne te la taglia a pezzetti piccolissimi come se tu fossi un uccellino svogliato. Le patate te le sfarina nel piatto, riduce le carote ad una poltiglia con la forchetta. Eppure tu i denti ce li hai, sebbene siano ancora quelli di latte. Il fatto è che non ti va di mangiare anche se questo fa venire il "mal di testa" a tua madre. Ma per quanto ti addolori, non riesci a mandare giù più di due bocconi alla volta.

Eppure, anche se mangi poco, non sei affatto magra. Anzi, direi che sei piuttosto pienotta. Tua madre dice che questo è dovuto alla sua pazienza: se lei non ti sbriciolasse il cibo nel piatto tu non mangeresti proprio niente.

Il nostro ospite, il raffinatissimo Des Moulins, dice che i bambini "non devono fare i capricci e devono mangiare tutto quello che trovano nel piatto". E poi racconta con tono didascalico di quando sua madre, da piccolo, lo costringeva a mangiare gli spinaci e poiché lui rifiutava di ingoiarli, glieli lasciava nel piatto mattina e sera, finché non si decideva a mandarli giù. E se non ingollava quegli spinaci, non aveva diritto a mettere in bocca niente altro.

Il regime antibizze della madre però non gli aveva tolto l'abitudine di comportarsi in modo bizzoso anche da adulto. Come quando voleva convincerti per forza delle sue idee musicali, a costo di prenderti una mano e storcertela finché non gli avevi dato ragione.

Quando suona il clarinetto ci si dimentica però del suo carattere stizzoso e lo si ascolta rispettosi. Un uomo ancora bellissimo nonostante i suoi settant'anni compiuti. La sua litigiosità si accompagna ad una gentilezza squisita da vecchio gentiluomo.

Curiosa combinazione, non trovi? non sai mai cosa aspettarti da lui, se una cortesia raffinata o uno sguardo rabbioso. Con me è sempre stato affettuoso, qualche volta anche troppo. Mi prendeva per la vita e mi stringeva a sé con vigore sussurrandomi parole lascive. E questo davanti alla moglie, la deliziosa Marguerite dai vestiti fruscianti, i capelli ricci da angiolotto senese, ma grigi. Forse lui lo faceva apposta, per indispettire la sua donna. Il fatto è che lei non si indispettiva per niente ma anzi sorrideva indulgente, divertita.

A me quegli abbracci plateali davano soggezione; ma forse avevo torto perché una vecchia coppia recita come fosse su un palcoscenico e le cose che appaiono crudeli agli altri magari sono solo dei giochi innocenti che vogliono mantenere viva un poco di allegria.

Ti ricordi quando hanno suonato per la seconda volta, tuo padre, tuo zio, il vecchio Des Moulins e due suoi allievi nella sala del Comune, su quel palco improvvisato? Tutti e cinque vestiti di nero, tutti e cinque così presi dai loro strumenti da dimenticare il pubblico. E tu portavi un delizioso vestito bianco a righe rosse e io indossavo una gonna nera e una giacchina di seta cinese, celeste.

Era il Quintetto in la maggiore di Mozart, te lo ricordi? Avevo sentito per giorni e giorni la parte del violino perché tuo zio Edoardo la provava in continuazione nella nostra camera d'albergo che si affacciava sulle montagne. È stato curioso per me riascoltarlo in mezzo agli strumenti: quasi non riconoscevo la sua voce. Il clarinetto si alzava come un serpentello e saettava la sua lingua ma senza colpirti, come per impressionarti con la sua elegante rapidità nel fendere l'aria e poi fingere che non fosse successo niente.

Subito dopo si sentiva il violoncello dalla voce di orso malinconico, incalzato dagli acuti uccelleschi dei due violini e dalle nenie meste della viola. I cinque si parlavano con voci animalesche, trillanti, oscure, lievi. «Non ti sembra che il violino ha fame e chiede da mangiare?» hai detto tu. E poi: «Ma papà non mi guarda mai».

Ci eravamo sedute in prima fila per questo. Anch'io aspettavo che tuo zio mi lanciasse uno sguardo d'intesa in un momento di pausa. Mentre suonano, tu lo sai, non possono distogliere gli occhi dallo strumento. Anche se quello che segue le dita sulle corde è più uno sguardo interno che esterno, più un viaggio spericolato della memoria che un controllo fisico delle pupille sui polpastrelli. Quelle pupille possono anche essere coperte dalle palpebre, ma debbono stare quiete e attente nello spasmo della concentrazione.

Però ci sono dei momenti di pausa in cui il violino si riposa: tuo zio, in quei tempi morti, alza gli occhi sulla sala cercandomi. Nei primi anni del nostro amore, se non mi trovava rimaneva inquieto, agitato per tutto il resto del concerto.

Il meglio di sé lo dà nell'acrobazia, tuo zio Edoardo, quando abbracciato al suo violino ne ascolta i battiti nascosti e lo fa cantare seguendo il disegno rigoroso della musica. Quando invece aspetta, lì in piedi sul palco, col violino penzoloni, che venga il suo turno per attaccare, ha un'aria imbarazzata e persa. In quei momenti si rivela tutta la sua timidezza. Non sapendo che atteggiamento assumere, cerca di riempire i vuoti compiendo dei gesti spesso meccanici come quello di tirare fuori il fazzoletto piegato dalla tasca, asciugarsi la fronte che non è affatto sudata, aggiustarsi il bavero della giacca, infilare un dito nel colletto della camicia, pulire con l'indice un granello di pece che è rimasto incollato alle corde e altri movimenti che esprimono inesorabilmente il suo impaccio.

Ma quella sera era seduto perché il quintetto si esegue da seduti e i pantaloni che si alzavano sulle caviglie mostravano un paio di calzini dai colori leggermente differenti l'uno dall'altro.

Quello con gli abiti è uno strano rapporto per tuo zio Edoardo. A lui piace essere "ben vestito" ma non gli verrebbe mai in mente di comprarsi qualcosa di nuovo. Lui pensa che quello che ha gli basta e se ne va in giro con delle magliette che gli stanno corte e strette, dei pantaloni fuori moda, delle camicie dal collo liso. Ho dovuto portarlo quasi di forza a comprarsi dei capi nuovi. Una volta ad Atene l'ho costretto a comprarsi otto camicie. E a Città del Messico un cappotto.

«Questa giacca ti sta piccola» gli dicevo «quando

l'hai comprata?» «Quando avevo diciotto anni, ci sono molto affezionato.» «Ma ti sta male, ti tira da tutte le parti.» «Ma perché, è perfetta.» «No, ti sta proprio male.» Si metteva a ridere: «Be', se lo dici tu... vuol dire che la porterò solo in casa». In questo modo non gettava mai niente.

In realtà per lui separarsi da una giacca, da una camicia vuol dire separarsi da una parte di sé. Nel suo cuore, accanto a quell'uomo che ingrigisce rapidamente convive sempre fresco quel ragazzetto dalle basette lunghe e folte il cui ritratto mi ha mostrato una volta con orgoglio: il piccolo genio del violino, miracolo della famiglia, curato e coccolato da una madre premurosa e da un padre indulgente.

Ma torniamo a quella sera del Quintetto in la maggiore di Mozart, quando tu in prima fila aspettavi uno sguardo di tuo padre Arduino e io ammiravo la perfetta sincronia di quei cinque strumenti che ricostruivano nelle nostre menti l'allegra perfezione dello spartito.

Tu sei una bambina così paziente, Flavia: certe volte mi chiedo come fai a restare ferma, immobile per un intero concerto senza mai farti travolgere da quella energia fisica che tormenta tutti i bambini del mondo.

Ti avevo sussurrato in un orecchio di quel serpentello del clarinetto e l'idea ti era piaciuta. Ogni tanto, a voce bassissima, mi dicevi: «Ma morde?». «No, gioca.» «Ma sarà una viperetta o un verdone?» Questa capacità di ricordare e saper ripetere scandendoli i nomi delle cose appartiene sia a tuo padre che a tuo zio.

Ma chi è che ti ha insegnato i nomi dei serpenti se non tuo zio Edoardo che è così stranamente affascinato dai loro corpi ondosi e freddi? Tempo fa rimuginava di comprarsi un pitone da tenere in casa. Ne aveva visto uno da un suo amico pianista e gli era piaciuto. «Sai, gira per casa come un cane, si arrotola sul divano, risponde quando lo chiamano, si fa carezzare e si mette pure a dormire sulle ginocchia.» Io l'ho scongiurato di non comprarlo: solo l'idea che ogni giorno avrebbe dovuto procurargli un coniglio o un pollo vivo da stritolare e divorare mi sembrava raccapricciante.

Una volta, a San Felice, tuo zio e il nostro amico Ninetto Carta hanno comprato una gallina per portarla ad un pitone che si esibiva in non so che fiera e guardare come se la divorava. Io non ci sono andata ma ho sentito i loro racconti la sera, a cena. Pare che il pitone, sentendo la gallina starnazzare nella gabbia, non abbia neanche girato la testa verso di lei. L'ha lasciata agitarsi per un poco come se dormisse. Poi, con una mossa rapida e decisa ha sciolto una sola delle sue spire, ha stretto il povero pennuto in una morsa violenta e l'ha strangolato in un attimo. Quindi, ancora caldo, se l'è cacciato tutto in bocca quasi fosse l'orco di Pollicino dedicandosi poi, in una specie di letargo, alla sua lenta e faticosa digestione.

Eppure tuo zio Edoardo non è una persona crudele, anzi, si preoccupa sempre del dolore altrui. Pensa che l'altro giorno, andando in cerca di funghi nel bosco dietro casa, ha raccolto un pinarolo e poi l'ha rimesso dov'era dicendo: «Mi fa pena».

Perché gli faccia pena un fungo e non una gallina non te lo saprei dire. Una volta, in casa di una amica abbiamo incontrato una ex insegnante di tuo zio: raccontando di quegli anni lontani ha detto che in uno dei suoi primi temi su "cosa vorresti fare da grande" tuo zio aveva risposto chiaro e semplice "il boia".

Tuo zio se l'era dimenticato. Lei no. «Un bambino di dieci anni che dice di volere fare il boia è abbastanza curioso» ha ripetuto ridacchiando. «Appunto, volevo stupire, fare il gradasso» ha ribattuto tuo zio. E così abbiamo finito per riderci sopra.

Ti abbraccio piccola Flavia

A presto, tua
Vera

3 novembre 1988

Cara Flavia,
   tuo zio mi ha detto che sei caduta dalla bicicletta
e ti sei fatta un bozzo sulla fronte e hai perso anche
un poco di sangue. Mi dispiace, spero che guarirai
presto. Ma ti sei messa il ghiaccio sulla ferita? Anch'io, sai, sono caduta tante volte dalla bicicletta
riempiendomi di graffi e lividi. Se, tornando a casa,
riuscivo a tenere un fazzoletto pieno di pezzi di
ghiaccio sul bozzo prima che gonfiasse a dismisura,
sapevo che sarei guarita presto.
   Ho dovuto aspettare i trent'anni per possedere
una bicicletta tutta mia. Quando ero ragazzina pren-
devo a prestito quella di mio padre: arrivavo a stento
a toccare i pedali stando seduta sull'alto sellino. Ci
montavo sopra con un salto e poi mi buttavo giù per
le discese finendo spesso dentro i fossi perché la bicicletta quasi sempre aveva i freni rotti.
   Ma il mio pensiero torna, come una vespa allo
zucchero, ai nostri soggiorni a Castelrotto. Mi chiedo perché. La risposta non è chiara. Ma è probabile
che quei giorni rappresentino nel mio ricordo il
culmine di una perfezione sentimentale. Mai ero

stata così innamorata di tuo zio e mai ero stata così vicina ad una bambina tenera e imprevedibile come te. Il mio legame con te dipendeva dal mio legame con tuo zio: non ti avrei né vista né frequentata senza di lui, ma nello stesso tempo, senza di te, il nostro volerci "benero" ne sarebbe stato molto impoverito.

Ti ricordi di quella sera del concerto, che successo hanno raccolto i nostri musicisti? Sembrava che il pubblico non volesse più smettere di applaudire. In effetti avevano suonato con molta generosità, buttando in quel geometrico incalzarsi degli strumenti tutta la loro sapienza e la loro capacità inventiva.

Tuo zio dice spesso che i Capricorno non sono "creativi". «Io sono un esecutore» ripete, come se eseguire un pezzo già scritto non richiedesse capacità di interpretare, quindi immaginare, costruire, inventare. Per questo sto in ansia quando suona, non per la paura che sbagli, ma perché voglio che dia il meglio di sé e temo che per una qualche ragione inaspettata sia messo nell'impossibilità di farlo.

Il fatto è che un poco dell'emozione che prende chi sta sul palco, un poco di quella tensione nervosa si comunica anche a chi sta seduto ad ascoltare, soprattutto se il sentimento che lo unisce a chi agisce sul palco è più profondo di quello che unisce un qualsiasi ascoltatore all'interprete.

Tu hai avuto, infine, il sorriso di tuo padre; ma solo al termine del concerto, una volta esploso il battimani del pubblico. Anche noi battevamo le mani e con che calore!

Non so se da grande, Flavia, starai sotto o sopra il palcoscenico. Se farai, come spero, la concertista verrò ad ascoltarti e farò il tifo per te come lo faccio adesso per tuo zio.

Eppure si provano anche molte dolcezze nello stare al di qua del palco, seduti fra gli ascoltatori, con le orecchie e il cuore in apprensione. Quando senti che quel piccolo corpo di legno cavo sta dando il meglio di sé, quando ti rendi conto che la sala segue e incalza l'esecutore con ondate di entusiasmo e gratitudine, quando percepisci che migliaia di respiri si stanno adeguando allo stesso ritmo, quando ti accorgi che l'evento mondano si sta trasformando in qualcosa di sacro, ecco che esci fuori dalla tua ristrettezza individuale e piano piano ti trovi trasformata in una parte dell'insieme. Generosamente e in tutta pienezza ti trovi nel mezzo di un grande avvenimento collettivo.

Ricordo che una volta, a Buenos Aires, tuo zio Edoardo doveva eseguire un concerto di Bach con una orchestra raccogliticcia in un grande teatro al centro della città. Era mattina, c'era poca gente, la sala era gelida e il concerto è cominciato fiacco e svogliato con un'orchestra già stanca. Il pensiero dei suonatori era chiaro e visibile: perché sprecarsi per quattro gatti?

Quando è toccato a tuo zio, si è visto che non era affatto disposto a seguire il tran-tran dell'orchestra impigrita, né era d'accordo con l'idea che pochi ascoltatori vadano disprezzati e trattati con sufficienza. L'ingresso del suo violino è stato così energico e risoluto che ha dato un immediato scossone agli orchestrali. I quali, da principio l'hanno guardato con odio, come a dire "ma chi ti credi di essere per tirarci fuori dal nostro sacrosanto torpore?". Molti di loro erano anziani, portavano scarpe di vernice logore, calzini neri trasparenti e avevano capelli grigi imbrillantinati. "Noi ora rallentiamo ancora e vediamo tu che fai" sembravano pensare quegli orchestrali annoiati che erano stati buttati giù dal letto da una sveglia sgarbata la domenica mattina e avevano le braccia e la testa arrugginite.

Ma tuo zio non è il tipo che si scoraggia facilmente. Ho sentito fisicamente la fatica che faceva per tirarsi dietro quell'orchestra neghittosa. A metà del primo tempo un poco della sua energia li ha contagiati. E hanno lentamente cominciato a seguirlo.

Il giovane musicista italiano, brandendo il suo violino come fosse una bacchetta da direttore, ha finito per travolgerli trascinandoli, sbuffanti e riluttanti, nel pieno di un appassionante concerto domenicale.

Io ho assistito a questo travaglio, prima dolente, dispiaciuta, incredula che qualcosa potesse venire fuori da quell'ammasso di corpi addormentati e riluttanti. Poi, a mano a mano sempre più sorpresa e stupita, sono stata travolta anch'io dalla metamorfosi che si compiva sotto i miei occhi. E ti posso garantire che se anche eravamo in pochi quella mattina di domenica a Buenos Aires abbiamo goduto di uno straordinario commovente concerto.

Penso che anche tuo padre Arduino avrebbe fatto lo stesso. Nel lavoro sono severi ed esigenti con sé e con gli altri, i due fratelli. Anche se sono così diversi perfino nel modo di suonare. Quanto tuo padre è lirico, struggente e fa pensare ad un lupo che canti alla luna, tanto tuo zio è rigoroso, di un fervore perfettamente controllato, di una destrezza strabiliante e nevrotica. Qualche volta gli è stato rimproverato di cercare l'effetto, la brillantezza della esecuzione a scapito della profondità. Ma come molti uomini di scena, tuo zio Edoardo conosce il suo pubblico, lo sente, lo previene. E non c'è niente come la rapidità strepitosa delle mani sullo strumento che entusiasmi il pubblico, anche quello più esperto.

Non si può dire che si tratti di una emozione volgare. La sfida al tempo, le meraviglie aeree di una geometria musicale prorompente hanno tentato gli autori prima ancora che gli esecutori. Chi scrive musica sa quanto sia saporito e comunicativo quell'accavallarsi precipitoso di note, tenute rigorosamente strette dentro un perfetto codice sonoro. La lusinga del virtuosismo tocca sia i compositori che gli interpreti, e il pubblico si lascia amorosamente incantare da un pezzo di bravura.

Quando vuole, però, sa anche andare in profondità tuo zio Edoardo. Io lo preferisco nei momenti in cui, con calma intelligente, fa srotolare un discorso musicale logico e articolato anziché perdersi nell'ubriachezza di un pezzo di abilità sfolgorante. Lui conosce i miei gusti e con un sorriso sulle labbra dice: «Stasera so che non sei contenta, ho suonato per il bis il pezzo della *Carmen* anziché il Preludio di Bach che ami tanto».

Una cosa che mi piace poco sono le arie delle opere trascritte per violino o per pianoforte. Hanno qualcosa di risaputo, di prevedibile che mi indispone. Ma il pubblico ama riconoscere le arie famose e dopo magari una "seriosa serata bartokiana, ci vuole", come commenta tuo zio che non perde mai il senso dell'equilibrio nella distribuzione delle parti.

E come non approfittare di quella incredibile perizia delle dita che, senza mai perdere neanche un quarto di nota salgono e scendono per le liquide scale in un crescendo delirante, strappano l'applauso anche al più sordo degli ascoltatori?

Curioso che tuo padre Arduino, il più appassionato dei due, per lo meno quando suona, sia poi colui che teorizza il distacco dai sentimenti nella vita di tutti i giorni. Per lui ogni "impegno" affettivo è di troppo, per non parlare di quello civile o politico che è semplicemente "ridicolo".

«Non bisogna innamorarsi delle donne belle» teorizza tuo padre «perché ci si perde sempre: si credono chissà chi, sono concupite dagli amici e finiscono sempre per tradirti. Meglio dedicarsi alle donne brutte perché ti saranno sempre riconoscenti di averle scelte, perché non avrai rivali e perché non rischierai di innamorarti "veramente".»

Sua anche l'affermazione che "tutte le idee politiche sono uguali. Tanto vale farsi gli affari propri e lasciare perdere". Come appartiene a lui anche la pratica severa e concreta di suonare solo dove pagano bene. Mentre tuo zio Edoardo alle volte accetta di andare a suonare in posti irraggiungibili anche per compensi minimi: spinto dalla curiosità, dalla gioia stessa del suonare, dalla generosità verso chi glielo chiede. Come quella volta che è andato in un paesino del napoletano invitato da una fantomatica Associazione musicale per suonare in una chiesa, ma poi l'ha trovata chiusa e nessuno sapeva dove fossero le chiavi. Infine ha suonato per una decina di persone intirizzite che aspettavano sul piazzale. Ha avuto il fegato di esibirsi in quelle condizioni, davanti ad un pubblico distratto e nervoso perché privato del suo spazio e delle sue sedie. E per giunta non ha ricevuto il misero compenso che gli era stato promesso.

Tuo padre non si lascia fuorviare da certe ubbie. Per lui il professionismo significa anche rispettare alcune regole del mercato musicale e non commetterebbe mai l'idiozia di "svendersi" per fare un piacere ad uno o ad un altro sedicente "amico della musica" che glielo chiede.

Eppure, nonostante tutte le diversità, quando sono insieme tornano bambini. Te ne sarai accorta anche tu; prendono a parlare per monosillabi e si capiscono solo fra di loro: «Gasp», «Quit», «Soun-Soun», «Quil», «Ding», «Igno», «Bulb», «Quit-quit», «Ha», «Hum». È alla mimica che si intendono: una serie di piccole smorfie, di movimenti delle sopracciglia, delle labbra, delle narici, che li fanno "morire dal ridere" per cose che a tutti gli altri risultano incomprensibili.

Tuo zio chiama tuo padre "Igno". A sua volta tuo padre chiama tuo zio "Igno-Igno". Tutti e due si rivolgono ai genitori chiamandoli "Mao" e "Moue".

In realtà non si parlano molto i due fratelli, ognuno vive la sua vita. Ma in compenso quando si trovano insieme, quelle rare volte che lo fanno, senti che la forza del sentimento di appartenenza in loro è superiore a qualsiasi lealtà verso chi amano.

Anche se incontrandosi si danno solo una pacca sulla spalla, non hanno dimenticato le notti in cui hanno dormito abbracciati, da bambini, per la paura del buio e quando Igno diceva a Igno-Igno: «Hai le guance come una nuvola, lascia che te le bacio».

Come adesso io vorrei baciare le tue guance nuvolose. Il sentimento fraterno non è questo? entrare nel cielo dell'altro e trovarlo pieno di nuvole soffici e accoglienti?

A presto

tua
Vera

6 dicembre 1988

Cara Flavia,
la cosa che mi dispiace è che non ti sento neanche più al telefono. Eppure non abitiamo lontane: tu a Trastevere e io ai Prati. In linea d'aria due chilometri. Un piccione viaggiatore ci metterebbe tre minuti ad andare da me a te; gli potrei attaccare un biglietto alla zampa. Che cosa ci scriverei? qualcosa sul folletto di cui sei stata molto curiosa in passato. L'altro giorno, sai che ha fatto il mio folletto? È sceso dalla sua cuccia in mezzo ai libri ed è venuto a sedersi sulla mia macchina da scrivere. Volevo cacciarlo perché mi impediva di scrivere. Ma lui niente: mi ha fatto capire che si è stufato. Sai, il folletto non parla, emette piccoli stridi come una rondine in volo. Per fortuna ho imparato a capirlo. Dice che il mio continuo battere sui tasti gli ha fatto venire il mal di testa, proprio come succede a tua madre quando tu ti rifiuti di mandare giù il pollo a pezzetti o le patate schiacciate nel piatto.
Così gli ho detto: va bene, smetto di scrivere per un po'; ma che facciamo? E lui mi ha fatto capire che voleva giocare. Ma a cosa? Alle filastrocche. Io lo so

che questo gioco gli piace molto. Ne conosco tante di filastrocche ma a lui non bastano mai.

E ne vuole sempre di nuove.

Tu ne conosci di filastrocche, Flavia? Al folletto piacciono molto quelle siciliane, come per esempio quella che dice: "Senza tuppu n't'appi, cu tuppu t'appi, come t'appi t'appi, basta che t'appi t'appi". Uno scioglilingua più che altro. Tu dirai: ma che significano tutti questi tappi? Il fatto è che in siciliano "t'appi" sta per "ti ebbi". La filastrocca rivela la soddisfazione di un giovanotto che dice alla sua ragazza: "senza il tuppo (la crocchia) non ti ho avuta, con il tuppo ti ho avuta, come ti ho avuta ti ho avuta, basta che ti ho avuta". È una filastrocca antica, forse di un secolo fa. A quell'epoca le donne usavano portare i capelli raccolti sulla nuca con le forcine. Per questo era considerato un grande segno di passione la perdita delle forcine e lo scioglimento dei capelli: "Ohi che cascata!".

Un'altra filastrocca che piace molto al folletto è quella dell'acqua e del pozzo: "Tira tira l'acqua u puzzu, non vagnare sta cucuzza, vagna vagna sta cicoria ohé / Uni o babbi, uni o mammi uni o manci iu". Questa filastrocca piace anche a tuo zio Edoardo perché si può cantarla in coro, a catena: quando uno arriva alla fine della prima strofa l'altro riprende dall'inizio, come si fa con *Fra Martino, campanaro*, lo stesso gioco di incastri sonori.

E che dire di quell'altra filastrocca inventata per fare inciampare la lingua delle signorine e costringerle a pronunciare una parola proibita? "Li pene cu lu pani nun su pene, le vere pene sunnu senza pani."

Tuo zio Edoardo, come il mio folletto, ama le filastrocche perché sono ritmate, gli ricordano il ballo.

Lui, in realtà non sa ballare, o per lo meno i suoi piedi non sanno ballare, sono goffi e lenti, ma le sue mani, il suo collo, i suoi occhi, la sua schiena conoscono il ritmo meglio di un ballerino spagnolo. Quando ha il violino al collo, si butta in balli antichi deliziosi quali la giga, il saltarello, la contraddanza, il minuetto, la sarabanda, la bourrée, inseguendo i pensieri musicali più gioiosi di Bach, di Vivaldi, di Paganini, di Mozart.

Il ballo gli piace come a me piacciono le storie. Qualche volta gli dico: mi racconti una storia? Ma che storia? Be', di quando eri bambino per esempio. Lo dico perché non mi stanco mai di ascoltare chi racconta della sua "bambintù" come diceva un mio amico inglese traducendo a modo suo la parola inglese *childhood*.

E tuo zio Edoardo racconta, se insisto, di quando andava in giro per la casa seduto sul pitale e non aveva neanche due anni. La madre gli chiedeva: «Com'è la pupù, Dodino?». E lui rispondeva: «Dddura» con tre D. O di quando sua madre lo lavava dentro un mastello di legno e lui schizzava l'acqua da tutte le parti urlando: «Ti sprizzo».

Io l'ho visto quel bambino dentro la tinozza. Sta al centro di una piccola fotografia in bianco e nero. Ha una faccia tonda, felice, che ride gongolando, mentre un braccetto dai rotoli di carne inanellata si sporge verso la madre vicina che però non si vede.

Oppure mi racconta di quando tutta la famiglia era in ambasce perché lui continuava ad affermare, con cocciutaggine che voleva "la bella ratta" e nessuno riusciva a capire cosa fosse questa "ratta". «Ma tu lo sapevi?» gli ho chiesto e lui mi ha risposto che no, non lo sapeva neanche lui. «Sono cose successe quando avevo appena cominciato a pronunciare le prime parole. Mia nonna sostiene che la "ratta" era il violino ma credo che siano solo mitologie nonnesche.»

A giudicare dalle fotografie tuo zio Edoardo era il bambino più pacifico, più cicciotto, più ridanciano che si possa immaginare. Poi, verso i tredici anni «sono cambiato, non so perché, sono diventato impacciato, sobrio e timidissimo».

A quindici anni ha cominciato a farsi crescere le basette, ha preso ad innamorarsi di ragazze dall'aria sfuggente, decidendo che da grande avrebbe fatto il violinista, anche se il suo primo strumento era stato il pianoforte. Che ancora oggi sa suonare con disinvoltura.

«Prima ero socievole, allegro, fiducioso, poi sono diventato solitario e orso» dice di sé tuo zio. E c'è da credergli. Basta confrontare i ritratti di quando era un bambino tondo e ridarello con quello di un adolescente con le basette che gli allungano malinconicamente la faccia. Lo sguardo è caparbio e sognante, il ciuffo seducente gli scivola sulla fronte annuvolata.

Quale sia stato dei due Edoardi a farmi innamorare è difficile dire. Forse un misto di tutti e due i caratteri che in lui continuano a convivere alternandosi di momento in momento. Diventando più maturo, si direbbe che quella allegria fiduciosa torni a prendere il sopravvento sulla ritrosia amara dell'adolescente.

Tua
Vera

14 settembre 1989

Cara Flavia,

l'ultima lettera che ti ho scritto è rimasta interrotta. Intanto sono passati nove mesi. Pensavo di non scriverti più e invece eccomi di nuovo qui con carta e penna. È curioso che fra tutte le persone che conosco io abbia voglia di parlare soprattutto con te. Siamo così lontane negli anni, Flavia, che se tu provassi a misurare coi passi lo spazio che ci separa potresti camminare tre giorni e tre notti e ancora non avresti calcolato tutta la distanza che ci separa.

Eppure mi sembra che da questa distanza, per qualche misteriosa alchimia ottica, io ti veda proprio vicina come se tu fossi a pochi centimetri dal mio naso. E il vederti accanto mi rallegra, mi dà voglia di parlarti come parlerei ad un'altra me stessa invisibile e segreta.

Quando ti ho scritto la lettera di dicembre ero un'altra persona: stavo bene con un piede dentro la vostra famiglia, tanto mi erano care le persone che la abitano. Ma ora quel piede mi è stato tagliato di netto. Anzi, a dire la verità, me lo sono amputato da sola e così cammino male, zoppicando.

"Un umor nero di natura fredda e secca" come chiamano gli antichi medici la "mestizia", mi accompagna mattina e sera. L'idea di non rivedere più tuo zio Edoardo mi fa inaridire i pensieri: sai, come quando si tengono le mele per troppo tempo nella fruttiera, che si fanno piccole e rattrappite, piene di grinze e senza succo.

Avrai probabilmente già sentito dire in famiglia che tuo zio Edoardo ed io non siamo più "amoreri". Ma questo distacco che quasi quasi mi appariva come una liberazione, una cosuccia facile e semplice, è risultato invece una esperienza devastante e amarissima.

Tu mi chiederai: ma perché? dopo nove anni, come mai? e lo sai che non so risponderti. Mi viene in mente quel guerriero "che non se n'era accorto / andava combattendo / ed era morto". Così il nostro sodalizio andava galoppando ma aveva chiuso gli occhi.

Mi sono accorta che su quella corda che teneva uniti me e lui e su cui stendevamo le nostre idee, i nostri rimuginii, le nostre bandiere d'amore, proprio su quella corda erano state attaccate altre cordicelle, spaghi, laccetti, nastri, del tutto estranei al nostro "felicero starero insiemero".

Uno pensa: ce la farò a reggere un altro peso, e un altro ancora, ho le spalle forti e poi la corda tiene, ha sempre tenuto. E invece un bel giorno, anzi un brutto giorno la corda di colpo cede, non regge più, neanche quella camiciola amorosa che avevi sempre steso ad asciugare lì sopra ed era leggera leggera.

E così tuo zio Edoardo ed io ci siamo allontanati in silenzio, come due ladri. Credendo o fingendo di credere che sia ancora una volta un gioco. Ma poi sono passati i mesi e si capisce che i tempi del gioco sono saltati. E intanto vengo a sapere che ha preso casa estiva in una conca fra le montagne, che pratica il volo con ali di plastica da angelo tecnologico e accanto a lui c'è una sposa dai capelli turchini e il vestito giallo che lo bacia sulla guancia stringendo in mano un mazzolino di miosotis.

Del nostro amore è rimasto un cassetto colmo di fotografie. Ma tante, cara Flavia, da farne non uno, ma due o tre album. Un giorno se lo vorrai te lo mostrerò. Un giorno forse; quando tu sarai una persona adulta e io una vecchina con la gobba e la cocca sotto il mento come nelle favole che ti piace ascoltare. Sai cosa mi ha detto l'altro giorno l'oculista? «Quando diventerai brutta...» Lì per lì l'ho guardato pensando "ma che sta dicendo?". Poi ho capito che aveva ragione: invecchiare vuol dire imbruttire. E tu sai che il brutto respinge, annoia, irrita.

C'è un racconto di un gentile e abile scrittore che la dice lunga sull'insofferenza verso i brutti, soprattutto se sono donne. Vi si narra di un giovanotto che uscendo da un ristorante, sulla montagna innevata, vede davanti a sé una donna anziana e brutta chiusa in una pelliccia di poco prezzo e nel cuore gli si sviluppa un tale odio, un tale disgusto che è preso da una voglia improvvisa di ucciderla. Così, lì per lì, senza conoscerla, come si ucciderebbe una zanzara con un semplice gesto infastidito.

Al giovanotto non importa niente di quella donna ma la sola vista della sua bruttezza lo manda su tutte le furie. Ed ecco che, quasi senza saperlo, è pronto a trasformarsi in un assassino, arbitrario e feroce. L'omicidio non si compirà grazie al ragionamento e alle lunghe corse sulla neve, ma com'è violento quel sentimento di rigetto!

Eppure lo scrittore non era affatto un uomo collerico e neanche malvagio. I suoi racconti che portano il titolo di *Sillabario* sono bellissimi. Mi ricordo quando veniva a pranzo da me, col suo naso a becco, gli occhi luminosi, i maglioni di lana di cashmere, profumati di citronella. Aveva una particolare sensibilità per gli odori. Entrava in una stanza, annusava l'aria e diceva: qui c'è stato un cane. Oppure: avete fatto un caffè poco fa? O anche: chi ha fumato stamattina? E quando si avvicinava a me, ogni volta pretendeva di indovinare il profumo che avevo addosso: «Questo è il *Fleurs des rocailles*, sbaglio?». Oppure: «Oggi hai messo un Dior, quello al sandalo», o anche: «Ti sei lavata le mani con un sapone al garofano».

Quest'uomo delicato e sensibile soffriva di antipatie brucianti e spietate nei riguardi di alcune donne. Era preso da veri e propri accessi di rabbia che lui giustificava con una questione di classe e di cultura. «Sai, quel genere di signore col cappellino che riempiono le platee dei concerti» diceva «non capiscono un accidente di musica e spettegolano tutto il tempo, sono ricche, brutte e insopportabili.» Ma erano le stesse signore che leggevano i suoi libri e gli scrivevano lettere di sincera ammirazione. Le donne, si sa, leggono più degli uomini e vanno più spesso ai concerti e a teatro. «Cosa c'è di strano nel fatto che mettano i cappelli?» gli dicevo. Ma lui scuoteva la testa. «Quelle signore lì sono proprio insoffribili.» «Ma se non fosse per loro lo sai che le sale da concerto rimarrebbero vuote e le librerie non venderebbero più romanzi?» «Non farti paladina di chi non ti assomiglia.»

Io, invece, cara Flavia, devo confessarti che ho molta simpatia per le "signore col cappellino". Anche tu porti il cappelletto e sei una bambina. Il cappello dà ad una testa di donna un tocco di teatralità e di allegria, come se fosse in procinto di volarsene dalla finestra, appesa ad un ombrello, alla Mary Poppins. Molti insinuano che sotto quei cappelli ci sia ben poco da apprezzare: una faccia avvizzita, un cervello stanco e polveroso. E invece qualche volta si hanno delle curiose sorprese: quelle teste, che si coprono pudicamente, conservano una voglia di capire e intendere che piacerebbe al mio professore di liceo, Giuseppe Ghera. Una capacità di riflettere e considerare che non è per niente da disprezzare. E nel loro andare ai concerti, leggere romanzi, scrivere lettere, ammucchiarsi alle conferenze le signore col cappellino dimostrano una inquietudine vitalissima.

Mi rigiro fra le mani le nostre fotografie. In una di queste ci sei anche tu. Siamo a Castelrotto e camminiamo ai bordi del bosco. Si vedono dei fiori gialli e tu porti uno dei tuoi tanti vestiti rossi. Sei molto carina, come al solito, e sembra che tu stia trattenendo una risata che ti è salita spontaneamente alle labbra. Chissà che cosa ti faceva ridere. Forse quel cane che, per acchiappare una pulce coi denti girava su se stesso come un pazzo rincorrendo la propria coda in movimento. Oppure ti divertiva tua madre Marta che era inciampata su una radice ed era andata a finire col sedere per terra.

Curioso questo nostro ridere delle persone che cadono, non ti sembra? C'è un filosofo francese, un certo Bergson il quale sostiene che noi ridiamo per ristabilire l'equilibrio messo in discussione da un gesto disordinato e meccanico. Le persone, sostiene Bergson, partecipano di un movimento continuo; tutto si muove e corre in noi: il sangue, le cellule che si rinnovano in continuazione, la pelle, le unghie, i capelli, tutto cresce e si rigenera.

Quando un corpo cade, perde per un momento la sua scioltezza, il suo moto ordinato entra in crisi, prende ad assomigliare pericolosamente ad un burattino, a qualcosa di inanimato e meccanico. Allora gli altri, i presenti alla caduta, preoccupati da questa minaccia di disordine, danno sfogo al riso per ripristinare lo stato di normalità. Il riso sarebbe insomma un atto "terapeutico" contro la minaccia del disordine mortale, in favore dell'ordine vitale.

Pirandello, poi, ci ha messo un tocco tutto suo stabilendo che fra ridere "contro" e ridere "con" c'è una grande differenza morale. Ridere "contro" fa parte della comicità: si mette in berlina qualcuno per criticarlo, o anche distruggerlo. Il cuore va "anestetizzato" per ridere su e di qualcuno e delle sue disgrazie. Invece ridere "con" fa parte dell'umorismo, che vuole il sorriso più che la risata. Si sorride senza perdere la simpatia e la comprensione per la persona che sta nei guai.

Quelle vacanze che abbiamo vissuto insieme a Castelrotto, Flavia, risultano felici anche sulla carta. Queste fotografie mostrano una allegrezza che in altre non c'è. E tu eri parte di questa letizia. Lo svegliarsi la mattina con "la rosa in bocca", come si suol dire, era una consuetudine in quei giorni. C'era un'aria frizzantina su quelle montagne nelle prime settimane di settembre. Il grosso dei turisti era andato via e noi eravamo quasi soli in albergo. Gli ultimi rimasti erano i più silenziosi, i più discreti: gitanti settembrini che uscivano la mattina presto con i loro scarponi, gli zaini appesi alle spalle per le lunghe camminate fra i boschi. Oppure qualche giovane coppia straniera che amava il tennis e andava a letto presto la sera dopo avere bevuto un bicchiere di vino cotto alle spezie.

Il cuoco siciliano era felice di preparare le torte al cioccolato e gli strudel per noi. Non ti pare strano che un cuoco siciliano fosse così bravo nel cucinare dolci austriaci e tirolesi? Ma così era: non abbiamo mai mangiato niente di siciliano in quell'albergo, solo canederli in brodo e gulash e torte di mele con l'uvetta e lo strutto.

Il giorno prima di partire ho chiesto al cuoco di prepararmi due strudel da portare via. Sono scesa nelle cucine per dirglielo e l'ho visto, col suo cappellone alto e bianco, il grembiule sporco di cioccolato, la faccia magra e spipirinzita. Sai chi la usa questa parola? tua nonna Giacinta. Di una ragazza un poco vivace dice: «Ma è proprio spipirinzita!». Mi piace questa parola che mi fa pensare al peperoncino. Peccato che non avrò più modo di ascoltarla.

Il cuoco ed io ci siamo messi a parlare della Sicilia. Lui conosceva Bagheria e la villa dei miei nonni. A Bagheria aveva un fratello che suonava il trombone nella banda del paese. Abbiamo parlato dei bagherioti che sono molto orgogliosi e come tanti altri siciliani piuttosto suscettibili: basta un niente per ferirli. Ma nello stesso tempo sono generosi fino all'eccesso e capaci di grandi amicizie. Così abbiamo parlato delle contraddizioni isolane. Perché la Sicilia è fatta così: da una parte conosci delle persone tanto sublimi, meravigliose che uno dice: ma da dove sono usciti questi uomini e queste donne dall'animo così pulito, gentile e profondo? E poi, nella stessa piazza incontri delle iene feroci che escono di notte e vanno a sbranare gli agnelli. Con i loro denti aguzzi si sono mangiati pezzo dopo pezzo tutte le bellezze della bellissima isola.

Io spero che un giorno, Flavia, tu possa andare a visitare le ville barocche di Bagheria, che sono tra le cose più belle della Sicilia dopo i templi greci. Sempre che i bagherioti, così poco amanti di se stessi e della propria storia, non le abbiano definitivamente distrutte.

Mentre parlavo col cuoco, ho sentito dei passetti alle spalle. Eri tu, Flavia, che venivi a chiamarmi. «Lo zio Edoardo ti sta cercando; ma dove eri finita?» E io ti ho detto che stavo facendo due chiacchiere col cuoco che ha un fratello che suona il trombone nella banda musicale di Bagheria e che ci raccontavamo delle cose belle che sono state distrutte: la costa dell'Aspra per esempio che era «un *bijou*» come ha commentato lui e che ora è «una schifezza tutta muri e cemento». «Il mare più pulito e limpido del mondo l'hanno ridotto ad un immondezzaio» ha detto lui. «E le rocce su cui i cestari intrecciavano le foglie di agave per farne panieri e scope, sono state trasformate in una strada su cui file e file di automobili suonano furiosamente il clacson per potere arrivare al più presto al ristorante in cima al monte che si chiama Nuovo Texas», ho aggiunto io.

Tu mi hai presa per mano, te lo ricordi? Io ho salutato il cuoco siciliano, il bel giovanotto dai baffi biondi, gli occhi azzurri e sono salita con te al primo piano per vedere cosa volesse da me tuo zio Edoardo. «Niente, volevo solo vederti» ha detto lui. Non è bello che qualcuno non voglia niente da te, solo vederti?

Da me vengono in continuazione persone che vogliono qualcosa: ascolto, consolazione, soldi, aiuti, assistenza, eccetera. Non capita mai uno che dica: volevo solo vederti.

Tuo zio lo diceva qualche volta e io andavo in brodo di giuggiole. Temo che non avrai mai sentito questa parola "giuggiole" e ti chiederai: ma che vuol dire? In effetti è una parola antiquata che non si usa più. Ma a me piace. Mi ricorda la zia Felicita, non so se te ne ho mai parlato, era una sorella di mio nonno e viveva a Bagheria. Era stata di una bellezza un poco bovina da ragazza e aveva amato un giovane che era morto in mare. Da allora non si era più voluta innamorare; aveva deciso di conservare la sua verginità per il giorno in cui si sarebbero "sposati in cielo". Io l'ho conosciuta che era già vecchia, si spostava su una lunga Studebaker nera dalla capotta apribile. La guidava con un piglio militaresco dopo essersi calcata in testa un cappellaccio floscio colore blu notte.

La zia Felicita diceva di qualcuno contento: «Eccolo in brodo di giuggiole» e a me piaceva il modo in cui succhiava l'aria spingendo la lingua contro i denti nel pronunciarla, questa parola.

Un giorno mi pare di averglielo chiesto: ma che significa giuggiola, zia? E lei mi ha risposto che era una bacca ma anche una pasticca di gomma e zucchero. Poi ho letto sul dizionario che viene dal latino *zízyphum* e ancora prima dal greco *zízyphon*. La giuggiola, capisci, è un frutto antichissimo e mediterraneo. Gli spagnoli la chiamano *jujuba*, i francesi *jujube*, i portoghesi *açofeifa*, gli italiani zezola, zizola, o anche zinzola, gli arabi *az-zofaizaf*. Secondo Plinio la giuggiola o zizola fu introdotta in Italia dalla Siria da Sesto Pampinio ai tempi di Augusto. È un frutto dal colore "giallo rossiccio" ed ha un sapore dolce asprigno ed è di "umore alquanto vischioso".

In un'altra fotografia ci siamo ancora noi cinque: tu, tua madre Marta, tuo padre Arduino, tuo zio Edoardo ed io. Siamo in un rifugio sul monte Sciliar, alle falde dei boschi neri. Era una giornata fredda, con un gran vento spifferoso, te lo ricordi? eravamo tutti affamati dopo avere camminato per due ore. E abbiamo chiesto di mangiare su un tavolo all'aperto, anche se i piatti di carta tendevano a volare via portandosi dietro forchette e coltelli di plastica.

Abbiamo ordinato le solite frittate coi mirtilli e della birra alla spina. Io no, io bevo solo acqua e limone, lo sai anche tu che ovunque io vada metto in croce i camerieri perché chiedo del limone da strizzare nel bicchiere e loro in genere mi presentano una rondellina solitaria che non si può spremere. Qualche volta me lo porto in borsa da casa, il limone, e quando dicono che non c'è lo tiro fuori e lo taglio a metà col coltellino minuscolo che mi ha regalato tuo zio.

Tuo padre Arduino beveva la buona birra del Tirolo con gusto; tuo zio Edoardo ha ordinato un *Radler*. E tu, con voce acuta hai chiesto: «Ma cos'è questo raller zio Edoardo?». E lui, con pazienza, si è chinato su di te per spiegarti che il *Radler* è una bevanda fatta di birra e limonata mescolati insieme.

«Che schifo!» hai commentato tu molto spontaneamente e tua madre, che sa molte più cose di quanto non mostri, ti ha chiarito che *Radler* vuol dire ciclista e sono stati proprio i ciclisti a inventare la birra con la limonata per dissetarsi durante le soste in montagna.

Mentre parlava, tua madre ha preso ad aprire i cestini preparati dall'albergo. E io che avevo comprato i panini in salumeria per tutti! Così abbiamo scoperto che avevamo da mangiare per venti persone.

Ti sei accinta a frugare fra i pacchetti per spilluzzicare un poco di tutto, dal prosciutto al pollo arrosto, dallo speck col cetriolo sopra all'uovo sodo. «Lo tagliano come un'aletta di passero, hai visto?» dicevi del cetriolo. Ed era vero: sullo speck spiccavano due alette verdi aperte a ventaglio.

Tuo zio Edoardo aveva ancora due scatti nella sua macchina fotografica, gli ultimi due. «E allora tiriamole» hai detto tu. Ed è buffo che tu abbia adoperato un termine che usava mia nonna Amalia: "tiriamo le foto" diceva, quasi che la macchina fotografica fosse un fucile e le fotografie si dovessero sparare come proiettili.

Mentre "tiravamo" le foto, a qualcuno di noi, forse per simpatia verso quel gran vento, su quella terrazza deserta, è scappata una "pernacchia". Tuo zio le chiama così. Nella mia famiglia, invece, si chiamavano "buffi d'aria", oppure "petini". So di una amica che le chiamava coi suoi figli piccoli "puzzette". Ma le puzzette non sempre puzzano. Se sono fatte di aria ingoiata nervosamente non fanno odore. Io ne so qualcosa, poiché soffro di colite spastica e certe volte mi riempio d'aria.

«Che vuol dire colite, Vera?» sento la tua voce petulante nell'orecchio. «Vuol dire che il colon, un budello che attraversa la pancia da una parte all'altra portando giù il cibo verso la sua ultima trasformazione, qualche volta si arrabbia perché gli fanno troppa fretta o perché è stanco o non l'hanno fatto riposare abbastanza, allora si contrae, fa i nodi e si gonfia d'aria come un Eolo indispettito. E allora sono dolori e per farli passare bisogna sdraiarsi, muniti di una borsa dell'acqua calda, sciogliere ogni laccio o cintura, e respirare lentamente pensando a cose piacevoli. Quando finalmente il signor colon ha sfogato la sua ira, si distende, smette di dolere e lascia andare fuori quell'aria crudele che ha trattenuto con un gesto di magia, come può fare un piccolo genio del vento in alto mare. Quell'aria lì non ha odore. Mentre se uno mangia qualcosa di pesante che non riesce a digerire e il cibo fermenta nelle viscere, quando l'aria viene fuori diventa una "puzzetta".»

In questo ci assomigliamo, tuo zio ed io: abbiamo l'abitudine di mangiare chili di aria, siamo due divoratori di vento. Segno di tensione psichica, dicono i medici. Ma allora Eolo cos'era? un prestigioso colitico? un divoratore d'aria pure lui? soffia, soffia, ingoia, ingoia, certi giorni avevamo la pancia come un tamburo, tuo zio ed io.

Quel pomeriggio, però, non ricordo a chi è scappata un poco d'aria. Invece di coprire la "pernacchia" con un silenzio imbarazzato, come succede di solito, ci siamo messi a parlare di quel francese, monsieur Pétomane che teneva i concerti con l'aria raccolta in pancia, concerti di scoregge modulate secondo il ritmo di una melodia. «Del resto che male c'è, anche Dante parla di un cul che si fece trombetta, no?» ha detto tuo zio. «E il Belli non parla spesso di pernacchie?»

Tu sembravi felicissima di quella conversazione. Come tutti i bambini ti divertivi un mondo a sentire parlare di cose proibite. Il signor Pétomane, qualcuno ti ha raccontato, viveva del suo sedere che trasformava in tromba e trombetta. Era diventato così bravo che uno dalla platea gli gridava: «Monsieur, *La Marsigliese!*» e lui dal palcoscenico gli suonava *La Marsigliese* a colpi d'aria compressa, senza mai togliersi i pantaloni né perdere la sua compostezza di gentiluomo.

Dopo, siamo scesi a valle di corsa perché minacciava di piovere. Io, per tenermi in equilibrio sulla costa scoscesa facevo dei passetti piccoli e rapidi, piegando bene le ginocchia e tenendomi indietro col busto. Tuo zio Edoardo diceva che scendevo la montagna come "una cinese". Ma come scendono le montagne i cinesi? «A passi minuscoli e frettolosi come te.» E così anche tu hai preso a caracollare giù per la china erbosa come una cinese. Dopo un poco, anche tua madre Marta ti ha imitata e così alla fine, se qualcuno ci avesse osservati da lontano, avrebbe visto un gruppetto di cinesi che, passin passino, correva giù per la montagna ridendo.

Ma ecco un'altra fotografia. Hanno qualcosa di menzognero e di perverso le fotografie: sono così fedeli a se stesse da risultare alla fine quasi indecenti. Fermano il tempo e ti vogliono convincere che sei una che non c'è più e che quella è altrettanto importante di questa. Cosa non vera proprio perché il tempo patrigno ha fatto piazza pulita di te com'eri e ora sei un'altra persona e se ripensi a quella che eri ti viene da piangere perché allora non conoscevi la te stessa di ora e ti chiedi: ma chi ti ha conciata così?

Tutto è fisso, immobile, cristallino nelle fotografie e mentre la memoria ricostruisce, attutisce, seleziona e oscura, quei quadratini di carta lucida sono lì come delle punizioni della carne a farsi guardare da te suggerendoti insistentemente l'idea mistificante della immortalità. Per non parlare di quella cosa stupida e bastarda che è la nostalgia, da *nóstos* e *algía* come a dire "dolore del ritorno". Ma si tratta di un dolore stucchevole che ti appiccica i pensieri e le dita. Come le giuggiole o le altrimenti dette zizole? Forse.

Eppure, Flavia, non riesco a mettere via queste fotografie che mi ricordano te, tuo zio Edoardo e quei giorni di perfetta coesione. Come e quando è cominciato il guasto, la distruzione? Non lo so. Non lo saprò mai.

Ti stringo forte

tua
Vera

20 novembre 1989

Cara Flavia,

in questo mese sono stata così occupata che non ho proprio avuto il tempo di scriverti. Il mio testo teatrale a cui lavoravo da otto mesi è finalmente andato in scena. Ma fino all'ultimo, durante le prove, ho dovuto essere presente per aggiungere e tagliare. La prima attrice era in disputa col secondo attore che non sopportava di essere trattato con supponenza dalla sua collega. Il regista mi ha chiesto come "un favore personale" di aggiungere un pezzo per il secondo attore, "perché se decide di andarsene ci butta nella merda". Ma quando la prima attrice ha visto che avevo allungato la parte del secondo attore, ha dato in escandescenze e ha minacciato di piantare tutto in asso. Il regista mi ha chiesto come un "favore personalissimo" di aggiungere un pezzetto anche per la prima attrice. Inutile spiegare che il mio è un testo corale, ma le questioni di precedenza sono ancora importantissime in teatro.

Per fortuna il pubblico ha accolto con molto calore lo spettacolo ridendo e battendo le mani. Il secondo attore ha fatto di tutto per coprire la prima attrice durante il suo monologo e lei è uscita dalle quinte furiosa, ma non credo che la gente se ne sia accorta. Sembrava di stare nell'*Impresario delle Smirne*, il testo comico di Goldoni sul teatro. Non pare proprio che tanta acqua sia passata sotto i ponti.

Due giorni dopo sono uscite quattro critiche davvero buone e una sola pessima in cui il critico dà degli asini agli attori e dell'incapace all'autrice. Salva solo il regista, ma poi ho scoperto che è un suo caro amico. E qualcuno sospetta che sia stato proprio il regista a suggerirgli le cose da scrivere sui due attori litigiosi di cui aveva piene le tasche e dell'autrice che non gli era simpatica.

Non ho più toccato le fotografie dello Sciliar. Forse le ho dimenticate. O per lo meno ho cercato di dimenticarle. E invece proprio ieri sera mentre preparavo una bella torta di mele mi sei venuta in mente tu, in una foto dalle luci radenti, scattata in un pomeriggio mite sul plateau dello Sciliar lì dove la montagna si fa terrazza per ospitare, in mezzo ad un arruffio di nuvole lilla e rosa, i parapendisti della domenica.

C'è un punto in cui la terrazza naturale si protende nel vuoto e sotto si aprono le coste seminate di pini e di abeti. Più sotto ancora si scorge il verde cilestrino della valle solcata dalla traccia luccicante, tortuosa, del fiume.

Da quella sporgenza si gettavano gli angeli, con le ali color pisello, color fragola, color uovo, color menta. Eravamo lì, tu ed io, a guardare affascinate quelle ali di plastica che si gonfiavano e tendevano i cento fili che legano il seggiolino alla struttura volante.

Li seguivamo, a naso in su, nelle loro acrobazie silenziose, appesi per aria con gli scarponi penzolanti nel vuoto, in preda ai venti che li sballottavano sofficemente di qua e di là. Qualche volta, quando il vento spingeva verso l'alto, gli angeli prendevano a salire girando sopra le nostre teste con movimenti lenti e ondulatori fino a diventare dei puntini fra le nuvole, per poi riprendere a scendere, ciondolando, sorretti da una leggera brezza amica.

Non so se tuo zio Edoardo abbia cominciato allora ad invaghirsi del volo. O forse aveva già cominciato altrove, già prima della vacanza allo Sciliar, non lo so. Fatto sta che mentre prima praticavamo tutti gli sport insieme: il nuoto, il cavallo, lo sci, il pattinaggio, ha preso poi ad assentarsi sempre più spesso per andare a volare. E siccome io soffro di vertigini non mi verrebbe proprio in mente di buttarmi nel vuoto (già mi capita di cadere nel sogno da tetti pericolanti, da montagne semoventi, da aerei barcollanti, figurarsi se vado a cercarmi il tuffo nel vuoto da sveglia), con quelle ali fragilissime poi, alla mercé dei capricci del vento.

Una volta l'ho pure accompagnato, tuo zio, dalle parti di Norcia e precisamente a Castelluccio. Un arco di montagne nude, color sabbia che si affacciano ripide su una conca di campi e di prati sempre zuppi d'acqua. Quando nevica sembra di stare sulla luna tanto sono spoglie, aride e fredde quelle cime e tanto è spelata, deserta e candida la piana sottostante.

In questo bellissimo paesaggio lunare, sopra un cocuzzolo appartato, si erge il paesino di Castelluccio, dove non arrivano neanche i giornali, dove non si cuoce il pane, dove la grande attrazione è un carretto posteggiato in mezzo alla piazza su cui sono esposti dei sacchetti di lenticchie dure come sassi e delle forme di cacio dal forte odore caprino.

Nel minuscolo albergo fabbricato apposta per i parapendisti e i deltaplanisti non esistono neanche le assi del cesso. Sono andata con tuo zio a comprarne una a Norcia e poi ci siamo inginocchiati in bagno, cercando di fissarla alla tazza ma non è stato per niente facile: le viti sgusciavano da tutte le parti e l'asse di plastica rischiava continuamente di spaccarsi. Tuo zio non ha le "mani d'oro" di tuo padre.

Mi sono portata la macchina da scrivere e sopra un tavolino traballante ho preso a battere i tasti mentre Edoardo se ne andava a volare dopo aver preso la tuta, gli scarponi, le ali da buon angelo che parte per il suo volo giornaliero.

Mentre scrivevo sono stata raggiunta dal pianto disperato di un asino. La smetterà, ho pensato, cercando di non farmi distrarre. Ma l'asino ha continuato sempre più avvilito e disperato. C'era in quel raglio qualcosa di così umano e dolorante che non ho potuto fare a meno di "andare a vedere". Era facile trovarlo, stava legato ad una balaustra nel centro del paese, sotto il sole, immobile, con la testa china e mandava degli ululati fondi e tristi. Ho chiesto in giro di chi fosse l'asino. «Di un contadino che lo lascia sempre lì, legato» mi hanno risposto.

Ho domandato dove abitasse il contadino. Mi hanno indicato una casa bassa dalle persiane chiuse. Sono andata a bussare ma non ho avuto risposta. «Non c'è nessun altro in questa casa?» «L'uomo vive solo.» «Be', tornerò più tardi.» Sono rientrata in albergo, ho ripreso a lavorare al mio testo teatrale sulla poetessa prostituta veneziana del Cinquecento.

Quella sera è nevicato. Tuo zio è tornato all'albergo con le guance rosse e tutto infreddolito. Abbiamo cenato insieme nella fumosa stanza da pranzo, sotto un enorme televisore acceso a tutto volume. La cena a base di lenticchie e pecorino era buonissima. Abbiamo chiacchierato con altri parapendisti venuti dalla Francia: due ragazzi e tre ragazze dall'aria allegra e spartana. Loro non si erano nemmeno accorti che sui cessi mancavano le assi.

In piena notte l'asino ha ripreso a ragliare. Sono andata a guardare dalla finestrella del bagno. Era sempre lì, legato alla balaustra, in piedi, senza riparo, con le zampe nella poltiglia di neve e fango. «Non posso dormire con quel povero animale sotto la neve, andiamo a vedere se si può fare qualcosa», ho proposto a tuo zio.

«Non ti immischiare nelle cose del paese. Ha un padrone, saprà ben lui cosa fare.» «Io lo slego, per lo meno se lo trova da sé un riparo.» Ma tuo zio era reticente e forse aveva ragione: con quel freddo, la stanza poco riscaldata, la neve che continuava a scendere, c'era da prendersi un malanno. «Non raglia più» ha detto lui «vedrai che l'hanno slegato.» E con questa illusione ci siamo addormentati abbracciati.

La mattina dopo sono corsa al finestrino e l'ho visto ancora lì, legato, intirizzito, inebetito dal freddo e dalla solitudine. Quindi aveva smesso di ragliare solo per stanchezza. Nessuno l'aveva slegato né sembrava volerlo fare adesso.

Ho accompagnato tuo zio al volo. Al margine della valle, proprio all'attaccatura di uno dei monti più bassi e rotondi, c'era una pattuglia di ragazzotti infagottati che andavano su e giù preparando le vele. In mezzo a loro un istruttore giovane e bello, munito di radiotrasmittente, gridava i suoi ordini verso l'alto.

Tuo zio si è arrampicato faticosamente sul monte portandosi dietro tutta l'attrezzatura. Una volta in cima, ha disteso pazientemente le ali sul terreno, facendo attenzione a districare i fili. Poi l'ho visto, ad un cenno dell'istruttore, precipitarsi di corsa giù per la china fino a sollevarsi come un goffo uccello che non ha ancora imparato a volare. E quindi, eccolo sospeso per aria, le gambe penzoloni nel vuoto, le belle ali color zafferano che fluttuavano in un unico arco che lo sovrastava.

Il volo durava un minuto, forse due. Poi il grande arco di plastica lo riportava verso il basso. Tuo zio approdava sul terreno fradicio, riprendeva in braccio il prezioso fagotto e ricominciava ad arrampicarsi verso l'alto. Per montare fino in cima, per sistemare le ali, per prepararsi alla corsa se ne vanno delle mezz'ore e chi sta a guardare si annoia.

L'ho lasciato alle sue fatiche ripetute per tornare alla mia macchina da scrivere. Attraversando la piazza sono andata a vedere l'asino. Era sempre là, legato alla balaustra, fermo sulle zampe, reso idiota dal lungo e inutile aspettare sotto la neve. Sono andata a bussare alla porta del proprietario, ma di nuovo era fuori. Stavo per slegarlo quando qualcuno mi ha fermata: «Guardi che il proprietario è un tipo collerico».

Sono tornata in albergo e ho telefonato ai carabinieri. Mi hanno detto che avevano già avuto delle denunce per quell'asino, ma non sapevano che cosa fare, loro non erano "idonei alla bisogna". «Be', venite lo stesso, facciamo un'altra denuncia.» «Appena potremo, verremo.»

Avendo capito dal tono della voce che non sarebbero venuti, ho cercato sull'elenco del telefono il numero della Protezione animali, ma da quelle parti non risultava, né fra i numeri stampati, né sul computer del centralino. Ho slegato l'animale. Ma due ore dopo l'ho ritrovato legato allo stesso punto, con lo stesso nodo crudele.

Il giorno seguente siamo tornati a Roma. Voltandomi per un ultimo sguardo ho visto l'asino sempre in piedi, legato, che sollevava i labbri bruni per un raglio ormai quasi senza suono. Da Roma ho chiamato nuovamente i carabinieri e infine ho saputo dal proprietario dell'albergo che erano andati in paese a vedere l'asino legato. «E che hanno fatto?» «Hanno cercato il proprietario che non c'era.» «E che hanno detto?» «Che ritorneranno.» Intanto l'asino rimaneva lì legato sotto la neve, di notte e di giorno. Quanto avrebbe resistito?

Cos'è che spinge un uomo ad incrudelire contro un animale inerme e alla sua mercé? la voglia di dominare e schiavizzare qualcosa o qualcuno? il pensiero geloso: questo è mio e ne faccio quello che voglio? o il lancinante desiderio di fare soffrire chi sappiamo indifeso e dipendente da noi?

Qualcuno la chiama "insensibilità culturale". I contadini, si dice, erano abituati, anche per insegnamento del loro Dio che aveva negato l'anima agli animali, a considerare le bestie solo in funzione della loro utilità. Il cane è "buono" se fa bene la guardia, se guida le pecore, se tiene lontani i ladri; la vacca è "buona" se tira l'aratro, se dà latte, se si fa squartare senza fiatare; il gatto è "buono" se caccia i topi, eccetera. Se l'animale non risponde ai nostri bisogni lo si picchia, lo si affama, lo si uccide.

Conoscevo una contadina, molto simpatica, che aveva partorito tutti e cinque i figli in casa, uno anzi nei campi dove lavorava. Sapeva fare il pane, le conserve di pomodoro, le marmellate di fichi e di uva. Veniva da me a vendermi le uova portandosi dietro una capretta timida e saltellante che la considerava come una madre. La donna le dava da mangiare, la coccolava, la spulciava, parlandole come fosse una persona.

Un giorno è venuta da me senza la capretta e io, che le avevo sempre viste insieme, ho chiesto se si fosse ammalata. «No, l'abbiamo mangiata» mi ha risposto tranquilla. «Aveva fatto le carni buone e mio marito ha invitato i cognati per l'arrosto.»

Curiosamente siamo proprio noi cittadini, come te e me, Flavia, a rivolgerci agli animali con spirito fraterno, considerando che la loro animalità non è molto dissimile dalla nostra umanità: anche loro conoscono il dolore, la paura, la gelosia, l'amore, anche loro pensano come noi, per lo meno per quanto riguarda le cose più elementari della vita.

Però san Francesco non era cittadino, potresti dire tu. E poi basta mettere il naso in un mattatoio urbano per rendersi conto che forse si tratta solo di ipocrisia. In campagna gli animali vengono uccisi personalmente da chi li mangia, in città per interposta persona. In campagna chi mangia carne si prende la responsabilità della predazione e dell'abbattimento, in città abbiamo inventato i "killer" che paghiamo per avere la bistecca pulita sul piatto.

«Anche Gesù mangiava cadaveri come noi?» chiedi tu e messa così certo suona strana. È sempre una questione di punti di vista. Nei suoi apologhi si parla di pesci, di pane, di fichi, di vino, di grano, ma non ricordo una parabola sulla carne. Sì, forse quella del figliol prodigo, al cui ritorno il padre ammazza "il vitello grasso". Tu che dici, Flavia, Cristo era un campagnolo che considerava gli animali come degli schiavi al servizio dell'uomo, o aveva la sensibilità profonda e rara di pensarli simili a noi, uguali nel diritto alla vita e alla libertà?

Non so perché ti parlo tanto di dolore animale. Forse perché in questo periodo mi sento molto simile a quell'asino di Castelluccio che raglia senza voce. Non riesco, sai, a guarire del distacco da tuo zio. Eppure sono stata io a volerlo, quel distacco. Sono stata io a imporlo, come un atto di ragionevole intelligenza. Ma l'intelligenza è così poco amica dei sentimenti.

Ti abbraccio

tua
Vera

Cara Flavia,

com'è che non riesco a dormire? Com'è che mi chiedo in continuazione: dove sei? Una vocetta ballerina in fondo alla memoria recita la solita filastrocca: "Amo rero, chi è rero? sono io? io chi? io rero, io amorero". Un gioco così balordo che sembra buffo persino raccontarlo. Ma sono sicura che tu capirai, Flavia, perché anche tu con tua madre adoperi una lingua inventata che capite solo voi due. Il filo del linguaggio immaginario che unisce coloro che si amano è più robusto di una corda d'acciaio nel momento del dare e dell'avere amoroso; ma diventa così fragile appena l'amore si smussa, si consuma, langue.

Alla mia domanda: dove sei? non c'è risposta ormai. Ma qualcosa irriducibilmente continua a chiamare da qualche parte delle arcate buie della mente: dove sei? dove sei? Che si tratti solo dello scherzo di una memoria legata alle abitudini? "Amo rero, chi è rero? sono io, io chi? io rero" ripete l'eco. Com'è balorda e ripetitiva la nostra emotività semantica.

Una volta tuo zio Edoardo ha sentito sua madre che diceva: «Questi sono proprio scemi, parlano tutto in ero». E un'altra volta ancora, sempre lei, la bella Giacinta, ha detto a suo marito Pandino: «No, non mi sembra che stia parlando con Vera, non sento gli ero».

Ma un certo grado di idiozia verbale rientra nella pratica degli affetti, non ti pare? Un bisogno di reinventare il linguaggio perché ci escluda dal mondo delle riconoscibilità lessicali, rendendoci invisibili e felicemente isolati.

Una volta mi hai chiesto: «Ma dove vi siete conosciuti tu e lo zio Edoardo?». E tua madre ha risposto per me: «In Brasile». «E dove sta il Brasile?» hai insistito tu. «Lascia in pace lo zio e pensa ai compiti», ha detto tua madre e tu hai obbedito come fa una bambina diligente. Ma la sera, prima di andare a dormire, mi hai sussurrato in un orecchio: «Non mi hai detto dov'è il Brasile e come vi siete conosciuti». Tua madre incalzava perché tu andassi a dormire e non ho avuto modo di risponderti. Lo faccio adesso.

Il Brasile è un grande, grandissimo Paese, cinque volte l'Italia, e sta al di là dell'oceano. Ha la forma di un triangolo coi vertici arrotondati, è fatto di magnifiche immense foreste che regolano il clima di tutto il mondo, di fiumi estesi come mari e di città popolose e disperate. Un Paese ricchissimo e poverissimo nello stesso tempo, dalle spiagge bianche e delicate come cipria, dalle pietre nere e imponenti, dai mari verdi come lo smeraldo. Molti brasiliani vivono in case lussuose, con tanto di camerieri in livrea; altri, moltissimi altri, vivono in catapecchie senza acqua né luce. In Brasile si parla il portoghese perché i portoghesi l'hanno per primi colonizzato, il che vuol dire che sono approdati su quelle belle spiagge e hanno detto: questo, in nome di Dio, da oggi in poi è mio, cacciando via coloro che ci abitavano da millenni. In Brasile ci sono città antiche dal nome struggente come Recife, Pernambuco, Belém, Rio Preto.

Tuo zio Edoardo ed io ci siamo effettivamente conosciuti a Rio de Janeiro dove io tenevo un seminario sulla scrittura teatrale all'università Alvares Penteado e lui insegnava violino alla scuola di musica municipale oltre a dare concerti in varie altre città.

Io abitavo nella dipendenza dell'Istituto italiano di cultura, ospite di Antonio De Simone e di sua moglie Monique. I De Simone erano molto gentili, amavano avere la casa sempre piena di gente: ogni volta che qualcuno arrivava dall'Italia per una conferenza, un concerto, una inchiesta giornalistica, lo ospitavano a casa loro. Per questo avevano due camere sempre pronte. Antonio è un tipo estroverso cui piace tenere banco. Generoso e collerico, ha una grande bocca piena di denti, porta i capelli grigi lunghi sulle spalle, indossa delle camicie azzurrine e rosa sempre fresche di bucato. È irruente, generoso, mordace.

Monique, sua moglie, morta da poco, era francese: piccola, muscolosa, praticava tutti gli sport e si dedicava con passione all'insegnamento. Possedeva un pappagallino verde e rosso che teneva legato ad un trespolo in cucina. In una fotografia fattami da tuo zio, io sono seduta al tavolo di cucina dei De Simone e tengo il pappagalletto su una spalla. Bisognava stare molto attenti perché se ti prendeva in antipatia ti beccava l'orecchio. «Non tenerlo vicino agli occhi» diceva Monique «potrebbe beccarti.» Ma io non avevo paura. Non ho mai temuto gli animali e loro di solito mi vogliono bene.

Un giorno ho detto a Monique: «Lo portiamo

fuori il pappagallo? sta sempre chiuso qui in cucina, facciamogli prendere un poco d'aria ai giardini».

«E se poi mi vola via?» ha detto lei allarmata.

«Se sta bene qui non andrà via.»

Invece, appena in strada, il pappagallo è scappato via. Prima andando a posarsi sopra il tetto della scuola di fronte e poi verso i giardini. Monique l'ha rincorso per tutto il giorno ma non è riuscita a riprenderlo. Era colpa mia; mi dispiaceva avere provocato quel guaio, ma ero anche contenta pensando che il pappagallo forse aveva trovato la strada per le sue foreste. «Sarà andato a trovare i suoi amici nel bosco» dicevo per consolarla. Ma lei non ne era affatto convinta: «Verrà catturato da un gatto cittadino e mangiato vivo».

Vedi come possono essere diversi i punti di vista nei riguardi della protezione e della libertà. C'è chi pensa che per non correre rischi e stare lontani da ogni pericolo bisogna proteggersi con porte e lucchetti. C'è chi invece crede che la libertà, nonostante i rischi che comporta, valga sempre più di una comoda cuccia.

Monique era certamente una donna che amava la libertà e ha coerentemente speso la sua vita per difenderla. Eppure aveva delle imprevedibili affezioni per certe gabbie che si era costruita amorosamente. Ma chi può giudicare del grado di libertà che una persona può permettersi? È morta a quarantaquattro anni di un tumore allo stomaco. Mi ha telefonato una mattina dicendo: «Sto male, ho delle continue diarree». «Avrai preso una malattia tropicale» ho commentato io senza dare molta importanza al suo allarme.

Ho saputo poi dal marito che era andata a farsi operare in un ospedale di Padova dove abitava la sua unica sorella. Sono corsa a trovarla. Era allegra come al solito, anche se pallida e scheletrita. Non sospettava di dovere morire così presto. «Appena sto meglio voglio tradurre in francese la tua ultima commedia» diceva. E io non riuscivo neanche a dirle di sì tanto ero impressionata dal vederla in quello stato.

Sempre così sportiva, dinamica, era una pena vederla prigioniera di quel lettuccio di ospedale. Senza occhiali la sua faccia smunta prendeva un'aria fragile e disperata. Eppure solo qualche mese prima mi era parsa così vigorosa e vitale. La mattina si alzava presto, prendeva una "vitamina", ovvero un succo di frutti tropicali: papaya, ananas, maracuja, banana e poi, con la borsa a tracolla, se ne andava a giocare a tennis.

Mi piace ricordarla così: le gambe abbronzate e muscolose, un cappelluccio bianco da colonia in testa, gli occhiali spessi da miope, saltellava da un capo all'altro del campo senza stancarsi mai. Con la stessa agilità poteva sciare, nuotare, arrampicarsi sulle rocce: aveva un corpo di ragazzino, agile e asciutto, sempre bruciato dal sole, sempre pronto a lanciarsi in qualche impresa rischiosa.

Solo la faccia era invecchiata anzitempo: una faccia pesta, sciupata sopra un corpo snello e leggero. È morta senza saperlo, in un tristissimo ospedale di Padova dove sì, c'erano i migliori oncologi d'Italia, così dicevano, ma le camere erano strette, calde e infestate di rumori insopportabili: lunghe sirene interne, campanelli ghignanti, voci altercanti al di là delle pareti sottili come carta, radio e televisione tenuti sempre a tutto volume.

Non so nemmeno dove sia stata sepolta, se a Padova, vicino alla sorella, o a Reggio Calabria, nelle terre del marito. Era stata una nomade in vita e anche da morta, per me, continua a viaggiare fra il Brasile, la Calabria, Parigi e Caracas.

Ma torniamo ai due "reri" (tuo zio ed io) che mangiavano nella cucina dei De Simone a Rio de Janeiro. In un'altra fotografia, sempre "tirata" da tuo zio Edoardo, io scendo da una scala che era quella interna dell'Istituto e tengo in mano dei quaderni. Passavo la giornata a leggere e a prendere appunti per la lezione serale: l'università apriva solo dopo le cinque. Gli studenti a Rio hanno tutti un lavoro e perciò possono dedicarsi agli studi solo nel tardo pomeriggio. Tremila studenti, tutti lavoratori, strano no? Le sale di giorno erano deserte. Quelle sale spaziose, quelle colonne di lontana imitazione greca, volevano suggerire una idea di *gymnasium*. E di giorno, nel silenzio impolverato dei corridoi, ci si poteva anche illudere che si trattasse di un pacifico luogo di intelligenti conversazioni. Ma la sera, quando valanghe di ragazzi e ragazze si imbucavano fra quelle colonne spingendosi, urtandosi, chiamandosi a gran voce, in blue jeans e maglietta, la gomma da masticare fra i denti, la radiolina appesa alla vita, sembrava di stare sulla tolda di una nave pronta a partire per un tempestoso viaggio di mare da cui non si sapeva con certezza se si sarebbe tornati.

Lì io affrontavo ogni pomeriggio settanta pugnaci e scettici ragazzi che aspettavano una sola mia scivolata per saltarmi addosso. Ma devo dire che me la sono cavata, con un poco di ironia e tanta pazienza. Dopo una settimana di seminario, avevo un gruppetto di "fedeli" che mi veniva a prendere a casa per accompagnarmi fin dentro l'università.

Uno di quei ragazzi mi telefonava la mattina presto per parlarmi dell'Italia. Era discreto, timido e gentilissimo. Aveva una ottima conoscenza dei poeti latini e sapeva tutto sul Vaticano pur non essendo mai stato in Italia perché "*o bilhiete custa muito e meu pai é sapateiro*".

Tuo zio intanto continuava a fotografarmi, coi libri sotto il braccio mentre scendevo le scale, uscivo baldanzosamente dall'Istituto, mangiavo al tavolo di cucina dei De Simone. Ma io non avevo capito che gli piacevo. Era tanto timido tuo zio che non lo lasciava trapelare in nessun modo.

Ci vedevamo all'ora di pranzo, gustando i piatti succosi preparati da Monique, poi lui si chiudeva in una delle stanze degli ospiti ad esercitarsi col violino. Io tornavo ai miei quaderni e ai miei testi teatrali.

Una mattina ho trovato delle rose appena colte sulla maniglia della mia porta, legate con un nastrino. Ho pensato che fosse stato il giovane Juan, quello che mi telefonava la mattina per parlarmi di papa Farnese e di Gioachino Belli. Ma non gli ho detto niente.

Di solito la prima ad arrivare era Camille col borsone delle macchine fotografiche, i capelli biondi stretti in un codino da topo, la faccia triste, il corpo goffo. Camille è canadese, parla un francese arcaico, quello usato dai parigini due secoli fa e rimasto, pari pari, rinchiuso dentro quella cocciuta e orgogliosa isola linguistica che è il Québec. Dà del "voi" a tutti, anche alla sorella, capisce il portoghese ma lo parla appena e si era iscritta al corso per amore del teatro. Con me tirava fuori il suo bellissimo francese antico di cui era convinta che capissi ogni minuzia perché le rispondevo in francese, ma io, più che capirla la interpretavo.

Camille non si staccava mai dalle sue pesantissime macchine fotografiche anche se non le adoperava. Oppure le tirava fuori tutto a un tratto durante il seminario e prendeva a fotografare dei particolari insignificanti. Due giorni dopo mi metteva in mano dei cartoncini lucidi, bianchi e neri, su cui si riconoscevano a stento: un pezzo di finestra aperta, un mozzicone di capitello, una scarpa femminile, un orecchio peloso, la punta di un berretto, una bocca aperta, due dita, un dente, un occhio. La mia faccia nelle sue foto era sempre scura e bruttissima. Certo non erano fotografie convenzionali ma mi chiedevo perché mi vedesse sempre così rattrappita e deforme.

Con Camille ci scriviamo ancora, dopo anni e quando vado in Canada, lei viene sempre a cercarmi, in qualsiasi città del suo grande Paese mi trovi. È la donna più coraggiosa e più fedele a se stessa che abbia mai incontrato. Ogni tanto mi spedisce delle fotografie in cui si vedono dei gatti che scappano, dei bambini che attraversano la strada, il naso o il braccio di un attore in scena, un pezzo di automobile, una tazza vuota e così via.

Dietro, in caratteri larghi e rotondi, in quel francese antico così difficile da decifrare, mi scrive delle parole di saluto. Certamente Camille difende la sua libertà in un modo più disperato ed estremo del mio. Quando ha soldi li spende, quando non li ha, fa la fame. Non l'ho mai sentita lamentarsi. Eppure la sua famiglia è ricchissima, il padre è un chirurgo molto conosciuto, ma lei preferisce mangiare pane e patate piuttosto che chiedergli qualcosa.

La gente diffida di lei perché, a guardarla, appare sgraziata, a volte anche sporca, coi piedi infilati in due sandalacci da frate, i capelli tenuti su con l'elastico, un maglione sformato che le mortifica il corpo. Ma il suo animo è delicato come una magnolia. Dico magnolia perché l'ultima volta che ci siamo viste, in una saletta dell'università di Toronto, avevamo davanti una magnifica magnolia dai fiori tutti aperti che mandavano un profumo struggente. Era sera e l'albero appariva come un agglomerato di forme scure mentre i suoi fiori bianchi riflettevano quel poco di luce che mandava la luna precoce da dietro le nuvole.

Camille fumava e mi raccontava dell'anno trascorso viaggiando per filmare documentari sul teatro che nessuno voleva comprare, ascoltando musica e fotografando particolari. Per lei, ogni pensiero diplomatico, ogni adesione al gusto degli altri è da considerarsi un tradimento nei riguardi di se stessa. E per questa sua folle purezza suscita tante antipatie e qualche appassionata solidarietà.

Insomma, Camille e il suo borsone arrivavano in casa De Simone prima degli altri. Poi, con calma, sopraggiungeva il resto del gruppo. Una certa Ines che inventava disegni per le magliette, un certo Luís che si occupava di cinema e sapeva tutto su Pasolini, una certa Mariona che faceva teatro per le scuole, e Juan, aspirante scrittore, nipote di italiani provenienti da Avellino.

Intanto Monique preparava il caffè per tutti, sempre con il suo pappagalletto accoccolato sulla spalla. Questo, naturalmente, succedeva prima che io avessi la pessima idea di fargli prendere aria. Infine, dopo avere bevuto il caffè e sgranocchiato dei biscotti francesi, ci mettevamo in cammino verso l'università. Poi la sera, dopo le lezioni, spesso cenavamo insieme in qualche ristorante economico dei dintorni, oppure Monique ci invitava tutti da lei dove mangiavamo seduti per terra con i piatti di carta.

Tuo zio Edoardo lo vedevo solo all'ora dei pasti, quando pranzavo dai De Simone. Anche lui, come Camille, aveva la mania di fotografarmi. Solo che le sue erano foto morbide, sorridenti ed esprimevano un desiderio che io mi ostinavo a non capire. Lo consideravo troppo giovane per me, tuo zio, e troppo chiuso nel suo solitario sogno di musicista.

Quando andavo a chiamarlo perché era pronto in tavola, e mi è capitato due o tre volte, lo trovavo immerso in un'aria viziata, la camicia zuppa di sudore, i capelli scompigliati. Teneva le finestre chiuse nonostante il caldo torrido perché non voleva "rovinare il violino con l'umido". Ma anche perché non amava disturbare i vicini. Un ragazzo delicato tuo zio; sta sempre attento a non dare fastidio. Questa è una qualità che me l'ha reso molto caro quando ho imparato a conoscerlo.

Le fotografie di Camille erano misteriose e cupe, esprimevano qualcosa di me che forse io non amavo e non volevo vedere: un dolore senza rimedio, un pensiero di morte che svaluta ogni gioia. Perciò preferivo le fotografie di tuo zio che d'altronde sono ancora qui, in questo cassetto: piccole, brillanti e piene di promesse d'amore.

Ogni mattina trovavo delle roselline fresche sulla maniglia e ogni pomeriggio, quando vedevo Juan, gli sorridevo con discrezione come a dire "so che mi hai portato le rose, te ne sono grata, non posso dirti niente, sai che con i miei studenti non faccio parzialità, ma quando avremo finito il corso ne riparleremo".

Juan non era bello. Piuttosto scuro di pelle, le sopracciglia folte, nerissime, aveva la faccia di un bambino saggio e gli occhi neri di un cane da caccia. L'idea che mi lasciasse delle rose sulla maniglia mi commuoveva. Era un segreto fra docente e discente, un segreto che sarebbe rimasto tale per tutto il tempo del seminario.

Non so se tuo zio "amorero" ritenesse che io sapessi che era lui a legare le rose ogni mattina con un nastrino alla maniglia della mia porta. Vedevo che mi sorrideva in un modo sornione ma non ci badavo. Vedevo che quando andavo a chiamarlo per il pranzo aveva l'aria di aspettarmi, ma lo consideravo più distante dei miei allievi brasiliani. Allora io avevo quarantacinque anni e lui venticinque. Ma ne dimostrava qualcuno di meno. Ed era forse la timidezza che lo faceva apparire ancora più infantile e timoroso.

Eppure in quel timore c'era una determinazione che poi avrei imparato a conoscere e amare. Non era affatto un incapace in fatto di sentimenti tuo zio che è della razza delle formiche: passa la giornata a trasportare pesanti fardelli da una parte all'altra del cortile, senza mai scoraggiarsi né tornare indietro. In quel fardello porta la sua musica, ovvero la musica del suo infaticabile violino, ovvero il suo travaglio di professionista interprete. Per quella professione, per un progetto ostinato di perfezionamento è disposto a rischiare le scarpe dei passanti, come la formica facchina. Il sacco non lo posa mai, e cammina su e giù per la strada sassosa, che faccia bello o cattivo tempo, che piova o splenda il sole. Per quanto riguarda i sentimenti, invece, è più cicala che formica tuo zio. Ma questo lo avrei imparato più tardi, a mie spese.

Infine i giorni di Rio sono terminati. Ho concluso il mio seminario all'università con una festa assieme ai miei studenti. Tuo zio ha dato i suoi concerti e abbiamo dovuto dire addio a Juan, a Camille, a Luís, a Mariona, a Monique e Antonio, per tornare a Roma.

Siamo partiti con due aerei diversi, ad un giorno di distanza, lui pensando che io sapessi delle sue rose e io ritenendo che fossero un segnale del gentile Juan. Per fortuna che non l'ho mai ringraziato. Se lo fa di nascosto, pensavo, è segno che non vuole parlarne, è una persona discreta e non chiede niente in cambio, meglio così.

Tuo zio mi ha solo chiesto il numero di telefono di Roma prima di partire. E io gliel'ho dato senza pensarci tanto, con quella disinvoltura con cui fra conoscenti di viaggio o di vacanza ci si scambiano gli indirizzi e il telefono sapendo benissimo che non ci si rivedrà mai più.

Invece, dopo forse una decina di giorni, ecco la sua voce di "cornacchia", come dici tu, al telefono che mi invita a cena per la sera dopo. Mi è sembrato strano risentire quella voce metallica dilatata, fortemente ritmata, quasi senza accenti. Avrei presto imparato a conoscere le sue sonorità aspre, sgranate. Mi sarei piano piano invaghita di quel suo modo così curioso di parlare aprendo le vocali, arrotondando le consonanti, appoggiandosi pesantemente sugli accenti. "Un poco libresco" dice qualcuno. In effetti sembra sempre che legga un testo scritto tanto è scandita la sua dizione. Ma questo non è un male, suggerisce una idea di ordine, di precisione, una costante preoccupazione per le forme del discorso.

Formale, infatti, lo è parecchio tuo zio Edoardo. A cominciare dalla sua mania di cacciare le forme di legno nelle scarpe prima di andare a dormire. Dovunque vada tuo zio Edoardo si porta dietro le forme e appena arriva in un albergo, per quanto stanco possa essere, la prima cosa che fa è quella di tirare fuori le due gobbe lignee e infilarle dentro le scarpe.

Perfino la sua idea di religione obbedisce ad un sentimento di eleganza formale. A lui piace la messa in tutta la sua rituale bellezza, gli piacciono i gesti ripetuti, ieratici, i misteri solenni, i profumi avvolgenti, le formule in latino.

La prima di tutte le cerimonie, naturalmente, la cerimonia che lo appassiona di più è quella che accompagna un evento concertistico: la sala buia, il silenzio teso e attento degli ascoltatori, i riflettori che si accendono al momento giusto, l'entrata sul palco, lo svelamento di quel particolare congegno matematico che è una partitura, l'entusiasmo che matura lentamente e poi esplode nell'applauso finale e dopo il concerto la cena al ristorante con gli amici e gli ammiratori.

Quando suona, tu l'hai visto, tiene i piedi divaricati e si bilancia dall'uno all'altro appoggiandosi ed alzandosi sui calcagni. Ogni tanto prende a tamburreggiare con la punta della scarpa sul pavimento mentre dalla gola emette un leggero suono che accompagna il ritmo dell'archetto sulle corde.

Quando il pezzo finisce, si lancia in un gesto liberatorio spingendo l'archetto per aria come fosse una bandiera. È un atto di gioia ma anche un segnale per chi non conosce bene i tempi di un concerto. C'è sempre qualcuno infatti che applaude al momento sbagliato, durante una pausa. E questo disturba profondamente tuo zio, come la rottura di una armonia delicata e fragile. Perciò il suo gesto è così platealmente conclusivo e svincolante, ed è come se dicesse al pubblico: prima avete sbagliato, ora invece sì, potete applaudire, il pezzo è davvero terminato.

Anche i finali hanno i loro rituali e contano tanto quanto gli inizi. Alla fine del concerto tuo zio si volta verso il primo violino per stringergli la mano. Non so se l'hai notato anche tu, ma, invece di fare mezzo giro ne compie uno intero piroettando su se stesso per trovarsi faccia a faccia con l'orchestrale e in questa giravolta si rivela tutta la contentezza per avere portato a termine la fatica del concerto, per avere saputo galvanizzare il pubblico, per avere meritato gli applausi.

Ed eccolo che si inchina, con un gesto forbito e umile, ancora e ancora, verso il pubblico che acclama. Quindi si volta verso l'orchestra e mima il gesto di battere le mani. Ma poiché le mani sono occupate, una dal violino e l'altra dall'archetto, si limita ad accostare questi due battendo l'archetto sulle corde, ma senza fare rumore. Basta il gesto per esprimere il plauso e gli orchestrali ne sono appagati.

Quindi sparisce dietro le quinte ed è allora che si rivela tutta la sua timidezza che rende un poco legnoso il suo passo, un poco rigida la sua schiena. A questo punto si pone la questione del bis. Il gioco fra pubblico e solista si fa complicato: il concertista infatti esce di scena ma aspetta di essere richiamato per il bis. Il pubblico, se è molto soddisfatto, lo applaudirà a lungo e gli chiederà di ripetere un pezzo. Ma non è considerato elegante concedere subito il bis. Così il musicista uscirà di scena due o tre volte prima di tornare a sedersi sullo sgabello fatato. Ma in realtà, quando esce non sa mai se lo richiameranno o se si stancheranno di applaudire e cominceranno ad andarsene. Dare il bis alle primissime chiamate è una cafonata. Ma può succedere che il solista esca fuori scena per la terza volta senza avere annunciato il bis e senta dietro di sé gli applausi languire e spegnersi; il che può considerarsi un disastro.

Il violinista che volta la schiena, da superbo artista, senza concedere il bis alla terza chiamata può sembrare uno che sfida l'arena: vediamo se mi acclamate ancora, vediamo se mi ammirate abbastanza, tanto da non stancarvi di spellarvi le mani, è tardi lo so, siete stanchi e avete sonno, l'ultimo autobus per alcuni sta per partire, ma chi ama veramente il mio modo di suonare rimarrà lì, inchiodato al suo posto per sentirmi ancora. Dentro di sé, però, trema, perché può sempre succedere che la distrazione, la stanchezza, l'ora tarda, una pioggia improvvisa spingano gli ascoltatori fuori dalle sale anche quando avrebbero voglia di ascoltare un prestigioso bis. Ma se i battimani continueranno, avrà avuto l'eleganza di concedere il bis dopo essersi fatto molto pregare, come succede solo ai grandi artisti.

Ci sono degli ansiosi che alla prima chiamata danno subito il bis temendo che gli applausi cessino e hanno l'aria di dire: bene, approfitto del poco tempo che ho per concedervi il bis perché domani le critiche non dicano che non avete applaudito, ma cavolo un poco più di entusiasmo, io qui me la faccio sotto a sentire i vostri applausi estenuati.

Non so come si comporti tuo padre, Flavia, l'ho visto solo poche volte in concerto. Ma tuo zio Edoardo, posso garantirtelo, non fa mai la cafonata di concedere il bis né alla prima né alla seconda chiamata. Lui aspetta, rischia, sicuro che lo richiameranno. E infatti lo richiamano.

Non so se tu puoi capire fino a che punto tuo padre Arduino e tuo zio Edoardo siano affezionati ai loro strumenti, con che materna cura li covino, con che intelligenza tecnica se li siano fatti amici. Non lo so, forse lo capirai quando sarai adulta e ti interrogherai sui misteri della musica che tanta parte ha avuto nella storia della tua famiglia.

Tuo zio ne ha diversi di violini, un Gagliano del Settecento napoletano, un Capicchioni del Novecento riminese e un legno istoriato del Seicento inglese, ma il più caro è certamente quello che gli ha regalato la sua "maestra" come la chiama lui, una violinista a cui è grato "perché mi ha voluto sempre bene, mi ha dato centinaia di lezioni quando ero piccolo, senza chiedere niente in cambio perché credeva nel mio talento".

Il violino, un Santo Serafino del Settecento, gliel'ha consegnato anni fa dicendogli: «Solo tu puoi suonarlo, te lo regalo». Ma poi questa maestra è morta, distrutta dal cancro in pochi mesi e ha lasciato tutto alla sua collaboratrice domestica. La quale si è ricordata del violino e lo rivoleva indietro. Tuo zio le ha ribattuto che lo aveva ricevuto in regalo. Ma le prove? In effetti non c'erano lettere o documenti che provassero la donazione. Tuo zio era molto affezionato a quel violino e non glielo voleva restituire. Lei insisteva che, per pagare la tassa di successione, non aveva liquidi e voleva il violino per venderlo. Così gli ha intentato una causa. La quale causa rischiava di protrarsi, come succede da noi, per una decina di anni. Perciò alla fine i loro avvocati si sono accordati e il Santo Serafino, dietro un compenso di qualche decina di milioni, è rimasto a tuo zio.

Qualche volta il violino ha bisogno del liutaio come il corpo umano ha bisogno del medico. Allora tuo zio prende il treno e se ne va a Cremona per consegnare il suo prezioso carico nelle mani di un esperto. Non gli verrebbe mai in mente di consegnarlo ad uno spedizioniere, ma neanche ad un amico che vada da quelle parti. Come ogni padre affettuoso, porta in braccio la sua creatura fino alla casa del medico per controllare di persona che venga curata a dovere e per rassicurarla con la sua amorevole presenza.

Nella custodia del violino, che è lunga e rettangolare e munita di un manico di pelle marrone, si possono trovare tante cose: ricordi, portafortuna, fotografie, lettere, minuti tesori che la fanno assomigliare ad un piccolo altare. Nel violino che tuo zio porta in viaggio c'è sempre qualche partitura preziosa con i segni a matita sui margini, un metronomo tascabile che gli ho regalato io e che si smonta e si rimonta come un giocattolo, una mentoniera di legno, una bustina con le corde di ricambio, un grande fazzoletto di cotone, bianco, una mia fotografia (che presumo sia stata sostituita), un violinetto d'argento attaccato con una spilla alla foderina di velluto, un altro violinetto di avorio regalatogli da suo nonno. Ti ricordi la canzone napoletana *'A casciaforte*? Che dice: "Vaiu tenendo 'na casciaforte [...] / ci' aggi' a mettere tutte 'e lettere / che m'ha scritto Rosina mia, [...] / la bolletta di lire dodici rilasciata dall'agenzia, / una capocchia di spillo, / un biglietto del tram, / e il becco giallo di un pappagallo / che mi ricorda la meglio età...".

Tante volte l'ho portato anch'io, quell'astuccio di tela marrone nei nostri viaggi comuni, quando lui si prendeva il carico dei pesi più robusti. «Stai attenta a non sbatterlo» mi diceva. Ma non c'era bisogno che me lo dicesse perché lo reggevo come un bene prezioso. Sapevo che per tuo zio quel violino era come un figlio e non lo avrei lasciato neanche per un attimo.

«Quando avevo dieci anni e andavo dalla mia maestra a Ostia, sapevo che mi avrebbe guardato i polpastrelli: non hai studiato abbastanza, mariuolo, mi diceva; non hai i calli. Ma io avevo i polpastrelli così gonfi che non avrei mai avuto i calli.» In effetti tuo zio non ha calli sulle dita perché quel cuscinetto di grasso che ha sotto le unghie non permette alle corde di logorare la pelle fino a renderla dura e insensibile.

In compenso ha un segno molto pronunciato sul collo. Tu lo sai, Flavia, che quello è il marchio dei violinisti. Se uno ti dice: suono il violino, tu guardagli il collo, saprai se è un professionista o un semplice dilettante. Il segno, come l'impronta rossa o bronzea lasciata da un pollice crudele, a volte si accende e duole o prude e tuo zio si porta la mano al collo meccanicamente, come per constatare i rilievi di una ferita.

«Non aveva figli la mia maestra e mi inondava di un affetto del tutto materno.» «Fino a che età hai continuato a prendere lezioni da lei?» «Fino al diploma con molta assiduità, poi meno, ma ho continuato ad andare da lei per anni. Tanto che mi diceva: cosa posso insegnarti di più? Ma aveva un orecchio straordinario e sapeva dirmi con minuta precisione quando mi allontanavo dallo spartito.»

«E com'era questa tua maestra?»

«Bionda, piccolina, con una voce un poco lagnosa, ma generosa fino all'eccesso. Quando l'ho vista in ospedale mi ha fatto paura tanto era diventata piccola e magra; ma non aveva perso il suo sguardo affettuoso. Mi voleva bene, ma forse vedeva in me l'immagine di mio nonno di cui era stata innamorata...»

Come vedi, Flavia, gli uomini della tua famiglia hanno il gran talento di suscitare amori appassionati nel seno di donne che poi li blandiscono e li vezzeggiano per tutta la vita.

Con affetto

tua
Vera

13 gennaio 1990

Cara Flavia,

ho saputo da tua madre che ti è caduto un dente e che te lo porti dietro chiuso in una scatolina che sul coperchio ha il disegno di un elefante. Improvvisamente mi sono ricordata di un mio dente tentennante di cui volevo liberarmi e non sapevo come. Avevo più o meno la tua età e ho dato ascolto ad una mia compagna di giochi che mi ha suggerito di legarlo ad una maniglia con un filo e poi dare un calcio alla porta, che il dente sarebbe "volato via come un uccellino". Ho legato il dente alla maniglia, ho sferrato un calcio alla porta e quella, anziché andare avanti è tornata indietro assestandomi un gran colpo sulla fronte. Il dente non è affatto "volato via come un uccellino", il filo si è spezzato ed ho avuto un bernoccolo in testa per giorni e giorni.

Tuo zio, che ha dei denti robustissimi si vanta di non essere mai stato dal dentista. In effetti con quei denti è capace di spezzarci le noci. I due canini, poi, sono solidi e sporgenti come due radici di quercia. Chissà se da bambino si è portato anche lui i denti di latte caduti dentro una scatolina, come una reliquia preziosa.

I denti non li perde, tuo zio, ma il violino sì. Ti ho già raccontato del suo attaccamento morboso allo strumento. Eppure, forse proprio perché tanto amore implica momenti di un altrettanto dispettoso rifiuto, tuo zio ha perso varie volte il suo violino.

Una volta sul treno per Latina, dove insegna al Conservatorio, ha lasciato il suo prezioso Santo Serafino sul sedile ed è sceso libero e sgombro senza pensarci. Fino a quando ha fatto il gesto di imbracciarlo per mostrare ai suoi studenti come si suona un pezzo di Bach.

Appena si è accorto di non averlo più al fianco si è disperato come un padre privato del figlio. Si è precipitato alla stazione, ha preso a telefonare a destra e a manca, è andato dai carabinieri, insomma, per due giorni e due notti si è agitato come un pazzo, senza mangiare e senza dormire per quella perdita il cui solo responsabile era proprio lui.

Infine un ferroviere gli ha scritto che il violino "giaceva in aspettativa" nel bagagliaio della stazione di Bari, ben chiuso nel suo astuccio. E tuo zio, per festeggiare, si è bevuta un'intera bottiglia di spumante.

Il violino certamente ha un valore di mercato, ma non si tratta solo di soldi: l'attaccamento che tuo zio ha per il suo strumento assomiglia a quello di certi popoli animisti nei riguardi di una barca sacra, di un albero divino, di un totem familiare.

Un'altra volta l'ha "abbandonato" su un taxi appena sceso dall'aereo a San Paolo in Brasile. E il giorno dopo è andato supplicando in tutte le stazioni di polizia per riavere il suo violino. Che intanto veniva contrattato fra taxisti e ricettatori. Si dà il caso che

nella custodia ci fosse una lettera che io gli avevo dato da imbucare in Brasile per una mia amica attrice
che stava provando un mio testo a Rio. E la polizia,
che nel frattempo aveva messo le mani su un ricetta-
tore, ha telefonato alla famosa attrice dicendole che
aveva trovato una lettera per lei dentro un violino rubato.

L'attrice ha avuto la sua lettera, mi ha chiamata
ed io ho avvertito tuo zio. Il quale, pensando di avere ritrovato il suo violino, si preparava a festeggiare.
Ma i dolori non erano finiti. Perché la polizia dichia-
rava di non averlo più. Ma dove si era cacciato? Nessuno lo sapeva. Finché, dopo due mesi di lutto, è tornato nelle sue mani, dietro il pagamento, molto sala-
to, di una "tangente" alla polizia.

Che tuo zio fosse attaccato in un modo quasi car-
nale al suo violino, tanto da poterlo anche detestare,
l'ho capito una volta che siamo andati in Spagna insieme. Io avevo la rappresentazione di un mio testo
teatrale al Festival del Greck a Barcellona e lui un
concerto a Madrid. Ci eravamo organizzati in modo
che lui venisse prima a Barcellona con me, per poi
andare tutti e due a Madrid. E quella notte, in albergo, abbiamo creato per la prima volta quello che poi
è diventato il nostro "casino cinese". Che poi era
semplicemente uno chiffon celeste avvolto attorno
alla lampadina da comodino, tanto da offuscarne la
luce rendendola soffice e propizia all'amore.

In quella luce da acquario, quella sera a Barcellona, tuo zio ha suonato per me la *Ciaccona*. E ancora
qualche tempo fa, quando voleva dirmi "ti amo" ac-
cennava col violino alla *Ciaccona* dalla stanza dove
studiava il suo prossimo concerto, mentre io cucina-
vo al piano di sotto.

Da allora fare "casino cinese" ha voluto dire abbracciarci con desiderio. Un poco come il "fare cattleya" di Swann e Odette. Tu sei troppo piccola per avere letto il mio amico Proust, ma posso dirti fin da ora che ti piacerà molto quando avrai modo di avvicinarlo. E comincerai proprio dalla storia di Swann, che è la prima dell'intera *Recherche*. Vi si racconta di un signore molto elegante e raffinato che si innamora di una ragazza bella e anche un poco volgaruccia.

Swann è gelosissimo della sua Odette che sospetta lo tradisca. Spia di notte le sue finestre girando come un ossesso per le strade vuote, origlia alle porte quando è in casa, la segue di lontano quando esce per le sue visite. Odette, infatti, pur amando il sofisticato Swann, sembra divertirsi ad amoreggiare con l'uno e l'altro dei suoi spasimanti che riceve in una camera luminosa piena di fiori. Alta e snella, indossa in quelle occasioni delle lunghe vestaglie di *crêpe de Chine* che le fluttuano sulle pantofoline.

Quando finalmente, distraendosi dalle sue scaramucce amorose, Odette si decideva a fare l'amore con il suo Swann, si presentava con un mazzolino di cattleya appuntate sul corpetto. Da lì veniva quel "fare cattleya" a cui tanto aspirava il povero Swann. Come vedi, tutti gli innamorati del mondo, anche quello letterario, costruiscono manieristicamente i loro lessici amorosi.

Quella sera tuo zio Edoardo, dopo il "casino cinese" ha suonato nella camera d'albergo solo per me e io l'ho ascoltato non solo con le orecchie ma con la pelle, sdraiata nuda sul letto, nel silenzio di una tiepida serata spagnola. Ed è allora che ho capito quanto quel violino sia parte di lui, del suo corpo che veniva lentamente inghiottito dal buio della notte mentre il legno e la musica non si distinguevano più dalla carne.

Per me quella serata è stata il racconto del suo corpo musicale. Ma la musica e il corpo si possono raccontare? chiederai tu. No, sarebbe la risposta, ma l'amico Proust ha dimostrato che si può fare. E come? Parlando di altre cose. È sempre il diverso che ci fa capire il simile. Il corpo lontano che ci fa percepire quello vicino. E questo corpo sostitutivo noi lo chiamiamo pomposamente "metafora".

Quella notte a Barcellona ho conosciuto la metafora della musica-corpo. Non della musica di Bach che già conoscevo e amavo, ma di ciò che può fare un violino dentro la musica di Bach. Ho capito anche perché il violino viene di solito associato al demonio. C'è qualcosa di insensato e inumano in quello strofinare ossessivamente le corde di metallo da parte di un archetto fatto di crini di cavallo. Il cavallo deve essere maschio, lo sapevi? perché il getto dell'orina non bagni nemmeno per errore la coda da cui saranno strappati i peli per l'archetto. E i maschi orinano in avanti mentre le femmine orinano all'indietro.

Molti strumenti fanno il possibile per assomigliare alla voce umana. Il violino no. Il violino sembra volere imitare lo stridio delle ali degli angeli in volo. O forse il fruscio delle code dei diavoli che sprofondano nell'inferno.

Qualcuno ha paragonato il *jouer le violon* come dicono i francesi, all'atto di una lunga masturbazione. In effetti c'è qualcosa nel gesto rapido, solitario, ripetuto e forsennato del violinista che mima la crescita del piacere, il gioco (ecco da dove viene il *jouer* francese) dei sensi presi al laccio. Fra l'altro lo denuncia lo stato fisico del violinista dopo un concerto:

fradicio di sudore, esausto, sfinito, proprio come dopo un empito sessuale.

La diabolicità dello strumento consiste anche in quella rinnovata sfida alle stelle, in quella pretesa di godere da soli abbracciando anziché un altro corpo umano un pezzo di legno. La cui consistenza e sonorità stanno nell'uso strategico del vuoto. Un vuoto profumato di resina, capace di fare sortire dal nulla la bellezza e il delirio. Non si tratta di una perversione demoniaca?

Il giorno dopo, al museo, mi sono trovata faccia a faccia con un quadro di Dalí, in cui una mano femminile si sporge da una finestra stringendo un violino di pasta molle, flaccido e sformato, sul punto di sciogliersi. Era l'involucro abbandonato dal piacere, il muscolo allentato dopo un sogno solitario di sensuale furore. Proprio come il violino di tuo zio Edoardo dopo un concerto: svuotato, pronto a dissolversi. Ci volevano giorni e giorni di prove, ci voleva un atto di fiducia e di disciplina rigorosa per riportare lo strumento alla sua originaria prontezza muscolare.

In quella dolcissima serata di Barcellona, nella luce azzurrata ed equivoca del "casino cinese" ho anche capito cos'era il formalismo di tuo zio: una sincera sottomissione alle regole assolute della geometria musicale. Dentro la tela ragnosa di una forma ben congegnata e ben divisa nei suoi spazi ritmici, non ci può essere niente da aggiungere né da togliere. Il suo formalismo consiste nell'obbedire a quelle norme musicali che non sono il prodotto di una pedanteria umana ma il riflesso di una alta strategia dello spirito: l'impronta di una mano divina, invisibile e perfetta sulle cose del mondo.

Forse che possiamo mettere in discussione la

struttura delle galassie? O la distanza fra i pianeti? O la velocità della luce? Essi compongono la realtà dell'universo e noi siamo dentro a questa realtà, che lo vogliamo o meno. E la nostra cura, la nostra intelligenza consisterà nel ripercorrere con razionale umiltà quel tragitto, quei tempi, quelle distanze, quella velocità.

Il formalismo di tuo zio Edoardo va interpretato come una devozione superba, da eletto sacerdote, alla religione dei grandi spazi misteriosi della musica. Altri possono accampare la pretesa di ricostruire, ex novo, delle armonie diverse da quelle già conosciute. Ma ci perderanno, se non la vita, il sonno, perché essi lavoreranno con l'arbitrio e l'arbitrio è fatale al sacerdote.

È formalista chi, appena entrato in casa la sera, si preoccupa di introdurre le forme (oggetti solidi di liscio legno dorato) nelle scarpe ammorbidite dal calore del piede? O non è semplicemente un innamorato della consonanza "scarporea"? Un curatore della vita mercuriale del piede?

Ti abbraccio, Flavia, a presto

tua
Vera

8 febbraio 1990

Cara Flavia,

lo sai che tuo zio ha dovuto abbandonare la sua lunga automobile blu, lo "squalo" come la chiamavo io. A me era antipatica, aveva una bocca enorme e un che di maligno e sgusciante. Lui, invece, la amava. «Mi ha tenuto compagnia per tanti anni» soleva dire. Quando alla fine ha dovuto abbandonarla, dopo che il motore si è incendiato per tre volte, mi ha ripetuto che gli «faceva pena, povera Checca», la chiamava così con voce affettuosa.

Quando l'ho conosciuto, tuo zio aveva il gusto per le macchine lunghe e potenti. Come tuo padre, del resto, e come tuo nonno. Se non si trattava di una Giulietta sprint o di una Mercedes non era una automobile degna di essere guidata. E io, che giravo con una vecchia Renault tutta sgangherata, dai finestrini sporchi di bava di cane, i fogli di giornale schiacciati sotto i piedi, la carrozzeria scrostata e ritoccata da me con l'antiruggine arancione, come mi avranno vista?

C'erano certamente molte cose di me che dovevano irritare tuo zio conoscendo la sua famiglia, che è anche la tua, Flavia. Per esempio che leggessi ogni giorno quattro giornali, tra cui "l'Unità", considerato da Pandino quasi un bollettino criminale; che non andassi a messa la domenica, che parlassi chiaro di sesso nei miei testi teatrali; che fossi insensibile alla potenza delle macchine da Formula uno; che considerassi lecito e normale il rapporto fra due persone dello stesso sesso; che non avessi come fine dei miei affetti il matrimonio; che non considerassi disdicevole avere amici di culture diverse, dalla pelle magari color cioccolato; che non mi piacessero le barzellette contro gli ebrei, eccetera.

Ma ecco che il formalista, di fronte ad una donna così "eccentrica" si mostra molto più duttile e indulgente di tanti altri. Sembra che sia affascinato dalla complessità delle cose senza pretendere di spiegare ogni particolare incomprensibile e strano. Sembra che voglia estrarre dal disordine una parvenza di grazia e in questo tuo zio è inarrivabile.

Non bisogna dimenticare la sua curiosità scimmiesca, la sua abilità acrobatica nel correre da un ramo all'altro, nel nascondersi dentro un folto di foglie per poi saltare fuori all'improvviso alla vista di una noce di cocco.

Le spiegazioni, i rovelli, per lui sono l'inizio della decadenza di una passione. Ricordo che una volta, in cucina a casa mia, gli ho chiesto: «Quali sono i miei difetti che più ti infastidiscono?». E lui, sai cosa mi ha risposto? «Tu non hai difetti, nemmeno uno.» E io non sapevo se contraddirlo elencandogli ad uno ad uno i miei difetti che sono tanti, oppure tenermi caro quel momento di illusione e lasciarlo nella sua innamorata cecità.

Era anche un periodo in cui mi diceva, stringendomi alla vita: «Ti amo tanto». E io quasi ne ero spaventata, perché mi sembrava un sentimento troppo assoluto, senza incertezze né ombre, senza soste né ritorni, un sentimento pericolosamente chiuso in se stesso.

Negli ultimi anni sai quanti difetti ha cominciato a trovarmi? Come prima era esagerato nel non vedere le mie debolezze, dopo è diventato quasi eccessivo nel segnalarle pignolescamente: sei troppo rapida nel fare le cose, non dai tempo di respirare, sei brusca, non hai modi, sei brutale con la tua mania della verità, sei autoritaria, sei sospettosa, eccetera.

Tu hai la fortuna, cara Flavia, che per te la vita è ancora tutta da inventare mentre io posso combinare ben poco per cambiare la mia. Se fossi in Giappone mi farei bonza. Nella letteratura giapponese ho sempre amato quegli uomini e quelle donne che, dopo una vita intensa e piena di eventi, decidevano in vecchiaia di farsi bonzi.

Ma bonzo non vuol dire prete, come crede qualcuno. Bonzo è chi va pellegrinando per il mondo, con la testa rapata, una ciotola per il riso appesa alla cintura, dei sandaletti di rafia ai piedi e può dormire sotto un ponte come sotto un albero. Per il bonzo conta più una lucertola di un re; mangia poco, vive di elemosina e cammina dove lo portano i piedi.

Purtroppo nemmeno in Giappone ci sono ormai più i bonzi, oggi. Le strade sono tutte asfaltate, chiedere l'elemosina è proibito e le campagne e i boschi sono ormai in balia della tecnologia.

Una volta tuo zio è venuto a prendermi con la sua macchina-squalo e mi ha fatto un inchino, proprio come un mandarino cinese, compìto ed elegante, severo e cerimonioso. Era la prima volta che ci vedevamo dopo il Brasile e lui mi ha regalato un libro di poesie turche. Il che era un atto di coraggio per un timido come lui.

Aveva infilato nel libro il biglietto di un tram che avevamo preso insieme a Rio de Janeiro. Ma il colmo dell'ardimento consisteva nel fatto che il biglietto del tram segnava una pagina su cui era stampata una poesia d'amore che lui mi dedicava come poi mi avrebbe dedicato la *Ciaccona*.

Qualcosa c'è fra di noi
Si vede dal tuo sguardo
Dal mio volto che brucia
Ci perdiamo ogni tanto.
Pensiamo entrambi la stessa cosa, forse.
Ridendo felici iniziamo i nostri discorsi.
C'è qualcosa fra di noi.
Nell'attimo in cui lo troviamo lo perdiamo
                                   volontariamente
Ma per quanto lo nascondiamo, è inutile,
Qualcosa c'è fra di noi
Che brilla nei tuoi occhi
E sulla punta della mia lingua.

Così diceva la poesia che poi ho scoperto essere stata scritta da un insegnante di Smirne, Nahit Ulvi Akgun. Ma la cosa più vergognosa, che testimonia la mia peccaminosa disattenzione è che io non ho visto il biglietto del tram, non ho letto la poesia e non ho capito il muto messaggio lanciatomi da tuo zio. Dopo avere scorso tre o quattro poesie scelte a caso, ho infilato il libro fra gli altri nello scaffale dei poeti stranieri.

Solo dopo mesi, forse un anno, ho saputo della poesia e del biglietto del tram di Rio, solo quando tuo zio ha avuto il coraggio di confessarmelo. E c'era un piccolo rimprovero nella sua voce amorosa. Giustissimo, del resto. Ma allora ero distratta da altre cose, non ero ancora stata presa da quell'incantamento che aveva già catturato tuo zio.

Anche la storia delle rose sulla maniglia della porta l'ho saputa dopo, quando siamo diventati abbastanza intimi da raccontarci le più segrete intenzioni. Anche se lui è rimasto un formalista che apparecchiava ogni mattina la tavola del suo amore con tutti i coperti al loro posto, aveva pensieri segreti inaspettatamente fuori misura che lo trascinavano nei labirinti del desiderio.

Durante uno dei nostri ciucciottii notturni, anni dopo, mi ha rivelato che quella sera a cena mi aveva guardato le gambe e per l'emozione gli era andato di traverso il boccone. Portavo una gonna nera, non tanto corta, tu sai che io sono anche eccessivamente pudica nel vestire. Ma nel sedermi si era un poco alzata, deve essere così perché io non mostro mai le gambe. Fra l'altro non le considero degne di attenzione: sono squilibrate, con la coscia troppo lunga rispetto al polpaccio troppo muscoloso. «Hai le gambe di un imperatore romano», mi ha detto una volta una amica, e probabilmente è vero. I muscoli si sono sviluppati per tutto lo sport che ho fatto: cavallo, nuoto, roccia, sci. Rimane da stabilire se le gambe di un imperatore romano siano l'ideale per una donna che porta le gonne.

Sapere che lui si era emozionato guardandomi le gambe mi sembrava una cosa straordinaria: lo straordinario del desiderio. Che fantasticasse eroticamente su di me non c'era dubbio, e tanto intenso è stato il suo fantasticare che ha finito per contagiarmi.

In quei giorni gloriosi, una volta tuo zio mi ha paragonata a Brahms, pensa. E questo per lui era il più regale dei complimenti. «Il musicista che preferisco» soleva dire e le labbra gli salivano sui canini mettendo in evidenza il sorriso non del tutto "innocente". C'è qualcosa di sghembo, di disarmonico in quel sorriso. E lui che ama l'armonia, preferisce tenerlo nascosto. Infatti tuo zio sorride poco, lo sai anche tu. Le gengive sono troppo tese sui denti superiori e rilevano la forza delle radici. E poi ci sono quei due imprevedibili e ardimentosi canini.

Una volta, guardandolo avvicinarsi per un bacio, di notte, con la luce che gli illuminava la testa da dietro, un piccolo sorriso che gli increspava maliziosamente le labbra ho pensato istintivamente che stavo per affidare la mia gola ad un dolcissimo e innamoratissimo vampiro.

Quella della testa di tuo zio è un'altra storia buffa. Tu sai che lui ha la testa grossa, lo sanno tutti in famiglia, pare che quando è nato pesasse cinque chili. Eppure lui si ostina a ritenerla piccola. I capelli tendono a crescergli verso l'alto, come una torre e se non se li schiaccia un poco sul cranio con dell'acqua, finiscono per formare una specie di turbante nero che gli copre le orecchie.

Da quando siamo diventati intimi ho preso a dirgli che doveva tagliarsi i capelli perché con quel testone e quei capelli a sbuffo sembrava che suonasse il violino con un berrettone di lontra in testa. Ma lui non se ne convinceva. Diceva che da lontano è brutto vedere un violinista "con la testa piccola e i capelli incollati alla cute".

Una volta, al mercato di Campo di Mare, ci siamo fermati davanti ad un venditore di cappelli di paglia. «Vorrei un cappello per me» gli dice tuo zio. «Se li provi» risponde il venditore masticando una gomma americana e tuo zio prende a calcarsene in testa uno, poi un altro, e un altro ancora: gli stavano tutti stretti. «Provi il numero 52» dice l'uomo. «Mi sta stretto.» «Allora provi il 54.» Stretto anche quello. «Provi il 56.» «Non gli calza sulla nuca.» Insomma non c'era un cappello che gli coprisse tutta la testa. Il venditore l'ha guardato e ha detto, rivolto a me: «Cià una capoccia l'amico suo che manco un cocomero...».

Così abbiamo avuto la conferma di quello che gli dicevo sempre e che lui negava: la sua testa è più grossa della norma e se vuole mantenere una certa armonia col resto del corpo deve tenere i capelli corti. Per un poco se ne è convinto. Ma la diffidenza verso il taglio dei capelli rimaneva. Tanto da far sospettare ragioni più profonde, "sansoniane". Quasi che, a reciderli, potesse perdere coi capelli anche il talento o la potenza sessuale, chi lo sa.

Non è che i capelli gli manchino, ne ha tanti e gli crescono con grande impeto. Ha preso da tua nonna, la bella Giacinta, quei capelli neri e robusti che tendono a rizzarsi sul cranio, ribelli. Naturalmente i nuovi capelli, nel crescere così rapidi e furiosi cacciano via quelli vecchi che cadono come foglie inutili in ogni stagione. Tutti i capelli del mondo ci mettono più o meno una decina di giorni per crescere di soli due centimetri. I suoi ci mettono tre giorni. E così anche la barba che ha la tendenza a sbucare dalla pelle con allegria a metà mattina dopo appena due ore dalla rasatura, con peli neri e rigidi che mi graffiavano regolarmente il mento e le guance ad ogni abbraccio.

Il letto, dopo una notte di sonno, era un cimitero

di capelli e peli neri. Il cuscino la mattina era scuro come se ci avesse dormito sopra un gatto nel periodo della muta. Sullo stesso mio petto, quando avevamo dormito abbracciati, rimaneva un tappeto di ricci corvini.

Ultimamente tendevano ad imbiancare, i capelli di tuo zio. E questo per lui era un affronto inaccettabile. Come potevano i capelli robusti e nerissimi della mamma farsi bianchi a sua insaputa, e contro la sua volontà? con che pretesto? mentre lui mangiava, dormiva, studiava, loro perdevano colore, lucentezza: era una offesa mai vista. E come rimediare? Non si può mica suonare il violino con la testa bianca e la faccia da ragazzino.

Un rimedio gliel'ha suggerito il suo barbiere: un liquido puzzolente che tingeva le unghie di nero e dava ai capelli, visti contro luce, uno strano scintillio rossastro. Era un "ossidante" come ho saputo poi. E solo dopo molte insistenze l'ho convinto ad usare qualcosa di meno sinistro.

Ma ancora una volta tuo zio ha trovato il modo di salvare la sua "forma". E tu sai, Flavia, quanto tenga a quelle armonie misteriose che danno respiro al tempo.

Quella della testa grande o piccola è rimasta fra di noi come una faccenda giocosa. «Io, con la mia testa minuta...» diceva lui ridendo. «Ma se non ti sta nessun cappello!» «È piccola, ti dico, per il mio corpo è piccola.» «Grossa come un cocomero, lo dice anche il cappellaio.» Finivamo per riderne allegramente dandoci mille baci.

Il nostro è stato un amore festoso, tu l'avrai capito, Flavia. Eravamo sempre pronti a divertirci di ogni piccolo intoppo e contraddizione. Era il gioco del figlio con la madre, ma era ancora il gioco del padre con la figlia. In certe cose, infatti, tuo zio è più posato e savio di me. Così finiva per farmi da padre e qualche volta anche da nonno.

Abbiamo giocato tanto che forse abbiamo esaurito tutti i giochi. Come quei signori eleganti, con la sigaretta in bocca che vanno da un casinò all'altro, e poi un giorno, quando sono finiti i soldi, si suicidano. Ma forse il paragone è inappropriato. Si può dire che nei nostri giochi ci fosse qualcosa dell'azzardo di un tavolo verde? Debbo dire, cara Flavia, che forse sì, c'era qualcosa di arrischiato e lo sapevamo. La differenza di età? qualcuno lo pensava. In realtà per noi non contava, ma ci veniva continuamente sottolineata dagli altri. Quando viaggiavo con lui, seguendolo nei suoi concerti, mi facevo quasi invisibile per non essere guardata con riprovazione.

Il suo agente americano una volta me l'ha detto in faccia: «Quando la smetterà, quel bravo ragazzo, di avere bisogno di una madre?». E un direttore d'orchestra brasiliano mi ha apostrofato così una sera a cena: «Che ne dici, Vera, di cercare una ragazza della sua età per Edoardo?». Rideva nel dirlo ma si capiva che la disinvoltura gli serviva solo per mascherare l'asprezza.

Ero comunque una madre molto sportiva: andavamo insieme a cavallo, insieme a sciare, insieme a nuotare, insieme a pattinare. Ad alcuni di questi sport l'avevo iniziato io. Tuo zio riteneva che lo sci per un violinista fosse troppo pericoloso e quindi interdetto: «Ci si rompe un braccio e addio concerti». Ma gli ho dimostrato che se non si butta giù per i dirupi anche un violinista può benissimo divertirsi sulla neve.

La prima volta che l'ho convinto a venire con me in montagna, si è fatto prestare un paio di scarponi da un amico. Ma non si era accorto che erano rotti, spezzati a metà per il lungo. E non capiva perché, accingendosi a scendere, uno sci gli andava a destra mentre l'altro gli sgusciava a sinistra. Attribuiva la stranezza alla sua incapacità.

Anche sullo skilift era un disastro: appena cominciava a farsi trainare dal cavo, cadeva. E lui, con la cocciutaggine che lo anima, riscendeva a piedi, si risistemava gli sci ai piedi e riprovava ad attaccarsi al gancio. Per cadere dopo pochi metri, a pancia all'aria.

Soltanto la sera ci siamo accorti che lo scarpone era rotto in due, tenuto insieme solo da un gancetto che nascondeva lo spacco. Così finalmente si spiegavano le continue cadute e gli sci che andavano a sghimbescio. «Ecco perché me li aveva prestati così volentieri!»

Come abbiamo riso guardando lo scarpone che si apriva a metà e il suo piede (porta il 45 il tuo amato zio) che occhieggiava nel suo calzettone rosso prugna.

Anche il cavallo gliel'ho fatto conoscere io. Cavalco da quando ero piccola. Ho imparato bene o male, con cavalli di campagna, cavalli prestati, vecchi e malandati perché non avevo i soldi per un purosangue. D'altronde le selle ben lustre, il sottosella di bucato, gli stivali appena usciti dal calzolaio, i pantaloni a sbuffo, magari comprati da Harrod's a Londra, il cappello duro con il sottogola di elastico blu mi sono sempre stati antipatici. A me piace il cavallo che se ne sta nei prati, che non conosce la stalla, che non ha bisogno di essere accudito e strigliato, che mangia l'erba ed è abituato al sole e all'acqua. Mi piace andare in giro per la campagna cercando strade nuove, girando per i boschi come facevamo a Campo di Mare prima che un signore chiamato Ferro-Cementi comprasse tutto il circondario e piantasse una rete alta tre metri con tanti lucchetti che rendono impossibile il passaggio.

Ho qui una bella fotografia di tuo zio e me, Flavia – spero un giorno di potertela mostrare – nel bosco di Ronciglione, fra castagni selvatici, lecci irsuti, cespugli di more e sassi bianchi che sporgono dai prati come torrette bizzarre.

Tuo zio era bravissimo nell'autoscatto. Prima decideva la scenografia: i due cavalli dietro, noi due davanti, non troppo a destra né troppo a sinistra, ma al centro fra due grosse querce. Poi cercava un sasso all'altezza giusta per la macchina. La sistemava, mi inquadrava, premeva il bottone e quindi correva da me saltellando col più intimo e il più felice dei sorrisi.

Quella macchina era il nostro testimone, la guardia del futuro. Conservavamo le immagini per rivederci e confermarci nella nostra fede di innamorati. Solo che nella loro illusione di eternità, gli innamorati non pensano mai che dopo le vacche grasse verranno quelle magre e che quando guarderanno quelle fotografie saranno in uno stato d'animo inglorioso, con l'anima pesta e la memoria piena di buchi.

L'anno scorso la cavalla che montava sempre tuo zio e che anche tu hai conosciuto, la dolce Stella, è morta per un tumore alla mammella. E io ho regalato a tuo zio "amorero" un altro cavallo. Sulla carta si chiamava Honey. Ma io l'ho subito ribattezzato Miele. Trovo ridicolo questo continuo uso di nomi e parole straniere che infarciscono la nostra lingua di tutti i giorni.

Miele è biondo ed ha la criniera quasi bianca. È alto, grosso e prepotente. Tende a ficcare il grosso naso pezzato di rosa ovunque veda del movimento. Quando arrivo a Campo di Mare portando un paniere di cibarie e di libri lui subito ci caccia il naso dentro. E poi prende a spingere, con dei colpetti del capo come se fosse un capretto che chiede il latte alla madre. Quando fa così vuol dire che ha voglia di un frutto fresco o di un ciuffo di insalata o di una zolletta di zucchero. E bisogna accontentarlo altrimenti ti segue fin dentro casa come se fosse un cane.

Lui, tuo zio, l'ha montato una volta sola questo nuovo cavallo ed ha deciso che non gli piaceva. In effetti Miele, quando va al galoppo, tende a sgroppare. La prima volta che ha avuto tuo zio sulla schiena, l'ha buttato di sotto. Da allora tuo zio ha preteso che lo montassi io mentre lui si prendeva il più dolce e remissivo Romano. Solo che Miele per me era troppo alto e per montarci sopra dovevo fare delle acrobazie.

Negli ultimi mesi però, dopo tanto insistere, tuo zio era tornato a montare il suo cavallo scoprendo che se gli parlava come ad un amico e gli dava gli zuccherini, il cavallo non sgroppava.

Poi un giorno Romano è morto e di questo dolore non mi sono ancora consolata. Romano quando era puledro viveva al circo Americano e lo curava una mia amica neozelandese che si chiama Marion.

Era stato un cavallo bellissimo, lungo lungo, bianco bianco, e faceva dei numeri di alta acrobazia. Invecchiando aveva smesso di alzarsi sulle zampe di dietro a tempo di musica. Un ginocchio gli cedeva e due o tre volte era caduto ignominiosamente in piena pista. Così veniva trascinato da una città all'altra, sempre legato ad un paletto, chiuso in un vagone-stalla, con poco fieno e poca acqua. Solo il ricordo dei suoi trionfi aveva impedito al padrone del circo di liberarsene, come si fa di solito con le bestie che "non lavorano più bene".

La mia amica Marion, che prima aveva fatto la trapezista e poi la domatrice di elefanti, dopo essere stata quasi schiacciata da un elefantino inesperto, aveva deciso di dedicarsi ai cavalli per cui aveva una passione.

Piccola e robusta, Marion, l'avevo conosciuta a Formello in casa di amici che possedevano dei caval-li. I capelli castani, gli occhi azzurri ingenui, si è sem-pre presa cura degli altri, facendo lavori pesanti: piantava chiodi, puliva cessi, imbiancava soffitti, tira-va acqua dai pozzi, domava cavalli selvaggi, costruiva muretti, cucinava per tutti. Per queste qualità era molto richiesta al circo; ma la pagavano pochissimo né lei era capace di farsi valere. In più spendeva sem-pre quello che guadagnava per qualcun altro: una amica in difficoltà, una bestia malata, un prestito, un regalo, un affare sbagliato. I soldi in mano sua non duravano mai più di un giorno.

Dopo molti anni, quando si è stufata del circo e voleva tornarsene per qualche tempo in Nuova Ze-landa, si è ritrovata povera e sola, con un cane e un cavallo ma senza i soldi per il biglietto. Il cavallo le era stato regalato perché "dispettoso, testone, prepo-tente e indomabile". Un bellissimo cavallo nero, agi-le come una pantera, ribelle come un gatto. Marion lo curava come fosse un figlio, lo strigliava, lo carez-zava, gli parlava all'orecchio con voce dolce e lui rispondeva con un nitrito. Ma l'affetto non gli impediva, appena lei lo montava, di scaraventarla di sotto. Oppure si precipitava a testa bassa contro una staccionata, sbattendola contro i fili spinati. Per questo carattere ribelle il cavallo era stato destinato al macello dai vecchi padroni. Ma Marion si era opposta. E a furia di carezze, di parole dolci, di carote, era riuscita, non dico a renderlo docile ma per lo meno trattabile. Prima che lei lo prendesse in cura, quando qualcuno si avvicinava con la sella, lui prendeva a scalciare disperatamente e tirava la corda che lo teneva legato fino a strangolarsi. Dopo mesi di un corpo a corpo che li lasciava ambedue stremati, Marion era riuscita a mettergli la sella e a montarlo. Ma bastava un pezzo di carta all'angolo della strada, o un cane che sbucasse da un cespuglio, o una capra in lontananza per farlo tornare intrattabile: si impennava, sgroppava, scalciava e non c'erano redini che lo fermassero, neanche quando gli facevano sanguinare la bocca.

Marion è un'altra di quelle persone che tuo nonno Pandino considererebbe assolutamente "disdicevoli". Veste male, ha le mani piene di calli, si innamora sempre della donna sbagliata, parla un italiano pieno di strafalcioni, scoppia in risate che fanno voltare la gente per strada, mangia con avidità e beve vino mescolato con l'acqua, dorme in un camper, ha più confidenza con le bestie che con gli esseri umani.

Ma io le volevo bene per il suo candore. Ormai avrai capito che una delle qualità che più mi attraggono nelle persone è proprio la freschezza d'animo. Quella capacità di stupirsi, di rallegrarsi, con tutta sincerità e abbandono, di fronte alle stranezze della vita.

Tuo zio Edoardo, diffidente da principio, aveva finito anche lui per volerle bene. E quando lei veniva a trovarci a Campo di Mare lui la ascoltava cantare le vecchie canzoni contadine neozelandesi con una faccia gentile e incuriosita.

Te l'ho detto, tuo zio, nel calendario astrologico cinese, è una scimmia. E della scimmia ha la ficcanasaggine che lo porta a sbilanciarsi pericolosamente sul ramo per spiare cosa succede sotto di lui, rischiando di cadere e rompersi l'osso del collo.

Se non fosse stato curioso, d'altronde, non si sarebbe così disinvoltamente intrufolato nella mia vita già tanto ingombra di cose, di abitudini, di pensieri, di progetti.

Anche nel caso di Marion è stata la curiosità, senza remore e senza prevenzioni, a vincere sulla diffidenza familiare e io l'ho amato anche per questo, Flavia, per la curiosità scimmiesca che lo faceva capitombolare giù dai rami mentre era intento a curiosare tra le foglie.

Le sue cadute hanno qualcosa di generoso e di buffo. Noi ci trovavamo "bufferi", Flavia, l'avrai sentito anche tu qualche volta, durante un discorso, un pranzo, una passeggiata, dire: «Sei proprio buffina, non c'è niente da fare». Lui stesso quando telefonava in albergo durante i miei viaggi di lavoro e non mi trovava, lasciava detto al portiere: «Ha telefonato il signor Buffini».

Io trovavo buffa la sua mania di introdurre le forme nelle scarpe appena se le toglieva, la sua idea di avere una testa piccola quando ce l'ha grossa. E con lo scalino per giunta. Hai mai provato a toccare la nuca di tuo zio Edoardo? Proprio sopra il collo, lì dove tutti siamo lisci, lui ha un gradino, una specie di ingresso, ma per dove?

Lui, a sua volta, trovava buffo il mio modo di camminare a passi rapidi e corti, il mio modo di sciare tutta infagottata neanche fossi al polo Nord, con una giacca imbottita sopra la tuta imbottita, un berretto imbottito in testa e i guanti imbottiti, nonché un fazzoletto legato dietro la nuca che mi copriva il naso e la bocca per proteggermi dal sole.

C'è una fotografia di me a Monguelfo in Val Pusteria, lì dove siamo andati per una settimana sotto Natale ogni anno, per nove anni, in cui a stento si distinguono gli occhi e un pezzetto di bocca tanto sono infagottata. Oggi riconosco quel pezzetto di sorriso che traspare nonostante le coperture: è un sorriso carico di tenerezza ed è rivolto a lui.

Dove sei? sono qui, dove qui? qui qui, chi sei? sono ero. Come sono noiosi gli innamorati con le loro tiritere linguistiche, dirai tu Flavia e hai ragione. Ma in quelle tiritere, in quel loro giocare con le parole storpiandole, strizzandole, sparpagliandole, deformandole, c'è tutta la vitalità di un corpo amoroso ancora integro e compatto.

Nel momento in cui le loro parole diventano opache e pesanti come oggetti di gesso, quel corpo d'amore sarà ridotto a un cadavere e non ci sarà niente che potrà farlo rivivere.

Sul ponte Duca d'Aosta, tornando da Campo di Mare, trovo sempre delle scritte fatte con la vernice a spruzzo: TI AMO CERBIATTA, oppure SONO IL TUO MICIOMAO. E ancora IO AMO COLOMBOTTO, TU SEI LA MIA POLENTA, eccetera. Reinventarsi un linguaggio è come ribadire un isolamento scelto e gustato fino in fondo; siamo in un mondo a sé, siamo talmente autonomi che battiamo moneta in proprio.

Ad ascoltarli dal di fuori sono tutti un poco ridicoli, ammettiamolo, questi linguaggi amorosi infarciti di diminutivi, gonfi di manierismi, come se volessero adeguarsi all'infanzia della parola, ma prenderli sotto gamba sarebbe sbagliato, perché sono comunque il segno di una volontà semantica tesa all'accoppiamento. Sta poi agli accoppiati trovare una musica che non sia leziosa.

Ti auguro, cara Flavia, di non imbatterti, nel tuo futuro amoroso, in qualcuno che ti chiamerà Cerbiatta. Ma se, chiacchierando al buio, nel segreto di una stanza, ti capiterà di trovarti sulla lingua degli stilemi, delle forme idiomatiche un poco strampalate, non respingerle tacciandole di cretine. Sarà un segno della tua volontà linguistica di mettere su casa e non è una impresa da poco.

Un bacio da

Vera

12 gennaio 1995

Cara Flavia,
sono passati cinque anni. Non ti ho più vista né sentita. Con la perdita di tuo zio ho perduto anche te e questo mi riempie il cuore di nuvole. Pensavo che non ti avrei più scritto: cosa potevo dirti ormai? E invece proprio ieri guardando una fotografia della nostra vacanza sullo Sciliar mi è venuta voglia di scriverti ancora. È passata tanta acqua sotto i ponti, come direbbe tuo zio con la sua voce di "cornacchia". Ma sai, non mi capita più di emozionarmi quando chiama al telefono. Ho passato due anni ad aspettare una sua telefonata pur sapendo che non avrei risposto. Lui però è rimasto fedele più di me all'amicizia. Dopo due anni di silenzio ha ripreso a cercarmi e gli piace venire a trovarmi in montagna, raccontarmi di sé, dei suoi concerti, delle sue nuove conquiste. Il suo forse è anche un sentimento della equità affettiva che lo porta a dividersi con magnanima imparzialità fra le "sue donne", che siano amate in quel momento o che lo siano state nel passato più o meno remoto.
In questo non smentisce il suo senso della "forma" come aspirazione ad una armonia dei sentimen-

ti. Chi ha avuto a che fare con lui una volta, non può non rimanere nella sua orbita come un satellite della necessità semantica ed emotiva cui non si può sfuggire come non si sfugge alla legge di gravità. E potrei farti un elenco dei suoi pianeti, come canterebbe Leporello: "In Italia seicentoquaranta / in Almagna duecentotrentuna / cento in Francia, in Turchia novantuna / ma in Ispagna son già mille e tre. / V'han tra queste contadine, cameriere, cittadine / V'han contesse, baronesse / marchesane, principesse / e v'han donne d'ogni grado / d'ogni forma, d'ogni età".

Tuo zio non ne fa mai una questione di censo e neanche di età, in questo è molto democratico: "Nella bionda egli ha l'usanza / di lodar la gentilezza / nella bruna, la costanza / nella bianca, la dolcezza"; e così via con la più grande eleganza e il più straordinario garbo del mondo.

Non so se tu, Flavia, hai mai conosciuto tutte le "belle" del tuo amato zio. Forse no, perché tua madre Marta è stata per qualche anno separata o quasi dal suo inquieto marito, quel tuo papà, grande musicista, che teorizza l'errore di innamorarsi delle donne avvenenti perché "c'è sempre da perdere". E di donne poco belle pronte a perdere la testa per un violoncellista focoso e gentile ce ne sono a bizzeffe.

Tuo zio Edoardo che continua a cercarmi con la tenacia affettiva di un vero "conservatore del museo degli affetti" mi parla spesso di te, di tuo padre, di tua madre. «Si veste sempre di rosso?» gli ho chiesto ripensando al tuo piccolo corpo di bambina; ma ormai non sei più bambina, ormai hai tredici anni. «Si è fatta più sobria» mi ha risposto tuo zio. «Suona il piano?» «No, mi pare che il suo più grande interesse

siano gli animali.» «E il cappelletto color ciliegia?»
«Non gliel'ho più visto.»

È difficile immaginarti avviata verso un futuro
donnesco, senza quel cappelletto rosso ciliegia, senza
quelle scarpe rosso pomodoro. Chissà come sarai
splendente quando avrai ventiquattro anni e io ne
avrò più di sessanta. Il gioco delle età è spietato. Un
giorno io sarò solo un mucchietto di cenere (ho lasciato scritto nel mio testamento che voglio essere
cremata) e tu compirai sessant'anni e guarderai con
curiosità e tenerezza ad una bambina, un'altra Flavia
col cappelletto rosso ciliegia che sbucherà dal nulla
per affrontare la vita e ti sentirai preda di un sentimento di gioia e di perdita. Già sono sicura che non
hai più nessuna voglia di sapere cosa fa il mio folletto, quello che si accuccia nel mio stivale quando vado in campagna, quello che dorme fra i miei libri
quando sto in città.

Non vedendoti mai, stai diventando un fantasma
per me. Eppure, cocciuta come una mula, l'abitudine
di scriverti si ripropone al mio pensiero come una
dolcezza irrinunciabile.

In questi anni sono successe tante cose, sai, dolci
e amare. Dopo tanto dolore e sentimento dell'esilio,
ho incontrato un nuovo amore: un attore dalla testa
ricciuta e la faccia triangolare che fa pensare alla
statua di uno sposo etrusco pacificamente seduto sul
sarcofago di una tomba di terracotta. Ho sempre
provato piacere a guardare quelle facce sornione e
gentili, quei sorrisi socievoli, quelle teste pensose e
affabili che gli etruschi sistemavano sulle loro tombe.
Corpi seduti graziosamente in mezzo ai cuscini, sempre intenti ad un convivio affettuoso e pacifico a cui
viene voglia di partecipare.

Mi piacerebbe che tu lo conoscessi, Flavia, perché è una persona che forse ti piacerebbe: un poco impacciato come tuo zio, timido e candido, ma non privo di un carattere deciso e volitivo. Chissà perché ho questa propensione per gli ingenui, i distratti, i tanti Monsieur Candide che scendono dalla luna a stupirsi di quello che succede sulla terra.

Il suo carattere però non è privo di spine. Anzi, direi che ha più spine che rose il mio etrusco dal sorriso triangolare. Le sue spine nascono da un corpo di bambino che è stato offeso e pestato. Non so nemmeno cosa gli sia successo, lui non ne parla volentieri, ma so che è stato preso a calci come un gatto randagio e di quei calci porta i segni. Diffida degli altri, è suscettibile, pensa sempre che lo vogliano umiliare, derubare. Di che cosa, forse non lo sa nemmeno lui, ma sta all'erta e la sua fronte si corruccia ad ogni parola ambigua, ad ogni sguardo poco chiaro, ad ogni gesto brusco, con dolorosa perplessità.

Ma l'incontro con l'etrusco fa parte delle cose buone dei miei ultimi anni, mentre qualcosa di atroce ha segnato i miei giorni: una tempesta, un tifone, sai come quelli che devastano le coste americane, lasciando dietro di sé alberi divelti, tetti scoperchiati, auto rovesciate, terreni allagati. Parlo della morte di mia sorella Akiko, di cui forse ti avrà parlato tuo zio Edoardo.

Così gonfia di medicinali, così deformata nelle dita dei piedi e delle mani da non potere più né vestirsi né camminare, viveva nella sua casa come una prigioniera. Ma la sua era una malattia di lunga durata, così dicevano i medici: «Ci si può convivere fino a ottant'anni». E noi puntavamo su questa "durata".

Ma non facevamo i conti con il suo sentimento della dignità e dell'autonomia che venivano calpestati ogni giorno di più. Si è stancata di dipendere sempre da qualcuno per lavarsi, per infilarsi le calze, per uscire di casa e ha smesso di resistere al male.

Voleva andarsene senza disturbare, coinvolgendo il meno possibile gli altri nella sua decisione. Ma di tutto questo non parlava e ci lasciava credere che avrebbe continuato come prima, mangiando e parlando e sognando quietamente.

Tu ancora non hai visto morire nessuno, salvo la tua bisnonna, chiamata nonnà. Me l'ha detto tuo zio per telefono un anno fa, che se n'era andata. E ci sono rimasta male: nonnà era colei che più mi aveva accettata in famiglia. Era quella che mi sorrideva con più dolcezza. Piccola e curva, aveva come te una grande cura dei vestiti che portava sempre di colori tenui, chiari: lilla, rosa confetto, tabacco biondo, sale marino.

Era famosa per la sua distrazione, nonnà. Pare che una volta ad un vicino di casa che, incontrandola per la strada, non la riconosceva abbia detto: «Ma certo, lei si è tagliato i baffi, per questo non mi riconosce». E un'altra volta sembra che sia entrata con grande naturalezza dentro una macelleria su cui era scritto a caratteri cubitali *Abbacchi e polli* chiedendo un francobollo. Alla faccia esterrefatta del macellaio pare abbia risposto: «Ah, mi scusi, avevo letto *Tabacchi e bolli*».

Immagino che tua madre Marta ti abbia tenuta lontana dalle immagini della sua morte, ansiosa e vigile com'è. Ti avrà portata al funerale, questo è probabile, ma quando la cassa era già chiusa, certamente, coperta di fiori e il corpo di nonnà al sicuro fra velluti e legni lucidati.

Sembra proprio che abbiamo paura che risorgano i nostri morti da come li chiudiamo, li spranghiamo dentro le loro casse costose, foderate di seta artificiale *capitonnée*. Come se ci dovessimo rassicurare che non possano, anche se volessero, uscire di notte come il conte Dracula a succhiare il sangue dei vivi.

Come sono più umani e più pii i popoli africani che seppelliscono i loro morti avvolti in un semplice telo, sotto un leggero strato di terra, aspettandoli poi di notte per vederli tornare in forma di corvi, di volpi e di pipistrelli amici. Per questo lasciano sempre dei bocconi prelibati per loro.

Come sono più savi gli indiani che involgono i loro morti in bende profumate, li trasportano a spalla su lettighe leggere, li posano con delicatezza su una pila di legni secchi e assistono pregando al rogo che in pochi minuti riduce il corpo in cenere spargendo un vago odore di ginepro e di sandalo. Loro, i morti non li considerano dei nemici da temere, di cui disfarsi il più rapidamente possibile; non li esiliano nel mondo di là, senza una parola di tenerezza.

Cosa abbiamo fatto ai nostri morti per temere tanto la loro vendetta? Perché nella nostra immaginazione li trasformiamo in vampiri grotteschi e affamati? Saranno i tanti film sui "morti viventi", assillati dalla carne umana a farci diventare ostili oppure i film e le storie nere sono da ritenersi la proiezione di una nostra irragionevole e insensata paura dell'aldilà?

Perché una persona che amiamo ci diventa improvvisamente estranea, sconosciuta e avversaria? Eppure Cristo è risorto, dopo essere stato sepolto, per portare gioia e sicurezza. E Lazzaro? non si è levato tutto bendato come una mummia, al tocco di una mano amica, per tornare a carezzare e amare? La Bibbia ci fa conoscere i morti in un modo non molto dissimile dalle leggende africane o indiane. Ma allora da dove ci viene questa inimicizia insensata che produce fretta, scongiuri, fughe terrorizzate? Quando si è creata la rottura? in che momento abbiamo preso ad escluderli sistematicamente dai nostri pensieri più lieti?

Nell'estremo nord della Costa d'Avorio c'è una popolazione che vive in mezzo alla foresta. Fra di loro quando una persona muore viene vestita di tutto punto poi sistemata a sedere sotto un grosso albero attorno a cui si raccoglie tutto il villaggio. E lì, fra quelle ombre delicate, il sacerdote, ovvero lo stregone, interroga delicatamente il defunto: come sei morto? perché? cos'è che ti ha portato via? Il morto, secondo come china la testa da una parte o dall'altra in movimenti impercettibili provocati da un leggero scotimento, risponde alle domande incalzanti dei suoi amici, dei suoi parenti.

Un po' come succede in quella canzoncina che una volta hai voluto che ti cantassi, te lo ricordi? "Maramao perché sei morto? / Pane e vin non ti mancava / l'insalata era nell'orto e una casa avevi tu." Con la grazia dei tuoi tredici anni, Flavia, mi hai riportata oggi nel mondo dei vivi.

Così com'era viva mia sorella Akiko solo un anno fa, anche se malata, anche se deformata dal cortisone e dai sali d'oro. Tanto deformata che lei stessa non si riconosceva ed evitava accuratamente di incontrarsi allo specchio.

Eppure era stata una ragazza bella e sorridente,

mite e affettuosa, con delle punte di ardimento inaspettate. Aveva il dono della musica, come tuo zio: cantava, suonava e qualche volta anche componeva. Poi, le sue dita hanno preso a deformarsi e lei ha dovuto abbandonare prima la chitarra, poi il pianoforte e infine anche l'elaboratore elettronico. Ricordo quando mi insegnava il controcanto. Aveva un orecchio di assoluta precisione, non sbagliava mai una nota, e la sua voce era limpida e fresca come una polla d'acqua. Ma dove l'aveva preso questo talento musicale in una famiglia tutta dedicata al pensiero, all'esplorazione e alla scrittura? Forse dalla nonna Amalia, una donna dalla voce potente che era arrivata dal Cile agli inizi del secolo per andare a studiare canto alla scuola della Scala di Milano.

I suoi genitori non approvavano la sua scelta: una ragazza "per bene" allora non poteva salire su un palcoscenico, nemmeno se avesse avuto il talento di una dea. Amalia però aveva la testa dura e una gran fede nella sua voce che Caruso in persona aveva definito "sublime". Così aveva frequentato di nascosto la scuola. Da cui era stata strappata a forza quando il padre aveva scoperto la verità. E lei era scappata da casa per continuare a frequentare la Scala. Probabilmente avrebbe finito per imporsi al vecchio genitore se non avesse ceduto al giovane innamorato, mio nonno, che le chiedeva, con tutto l'amore di un fidanzato, di rinunciare al canto e al palcoscenico per diventare sua moglie e occuparsi dei suoi figli. Se poi davvero ci teneva tanto, avrebbe potuto cantare nelle feste di beneficenza, che a Palermo se ne organizzavano tante, facendosi ascoltare con ammirazione dalle signore sue amiche, dai signori eleganti e dalle orfanelle protette dai suddetti signori.

Certamente Akiko aveva preso da lei. E forse aveva ereditato da quella parte della famiglia anche una certa bizzarria del carattere: una tendenza a drammatizzare la vita quotidiana piangendo e ridendo con facilità, travolta dagli umori del momento. Mentre dai nonni, quello svizzero e quello siciliano, venivano la pratica dell'autocontrollo: mai farsi preda degli eventi ma dominarli con il giudizio, la distanza e la capacità di scherzarci sopra.

Questa estate, mentre me ne stavo in montagna a scrivere un testo teatrale su Camille Claudel, ho ricevuto una telefonata dall'altra mia sorella, Giacoma: «Akiko sta male, non respira più, dobbiamo portarla al pronto soccorso». E qualche ora dopo: «I dottori dicono che ha una ostruzione alla trachea, devono operarla, vieni».

Così mi sono precipitata in automobile, passando attraverso gole solitarie, fitte di alberi e di rocce. Operarla? ma come? e perché? così all'improvviso? non c'era un modo di salvarla senza operare? Ricordavo che da mesi respirava male, ma si era parlato di una laringite, qualcosa da curare con degli sciroppi. Ragionavo fra me e me cercando il bandolo di quel groviglio di contraddizioni mentre pigiavo l'acceleratore in quella corsa mattutina verso l'ospedale di Rieti.

L'edificio si trova fuori della città, in un terreno che una volta si sarebbe chiamato "vago". Parlo di quegli spazi desolati, dove vengono scaricati i rifiuti, dove si incontrano drogati e cani randagi, che fanno parte delle cinture cittadine.

Terzo piano, stanza numero 27. Mia sorella Akiko stava lì, sparuta, il corpo ridotto a quattro ossa coperte di pelle, la testa rigida sul collo, gli occhi disperati. Le avevano tagliato la gola e respirava attraverso un piccolo foro sul collo coperto da una garza. Non poteva più parlare. Quella gola che aveva contenuto una voce così squisita, quella gola che aveva modulato le note di antiche e struggenti canzoni popolari, *L'augellin bel verde* l'hai mai sentita, Flavia? oppure *Se tu m'ami* di Pergolesi. Antiche melodie dal suono puro e giocoso che venivano cantate da Akiko con l'accompagnamento del flauto e della chitarra.

Quella gola di cristallo era stata spenta, recisa con un colpo di bisturi. E lei si portava continuamente la mano dalle dita penosamente piegate alla gola con un gesto timido e incredulo. Penso che sia stato allora che ha deciso definitivamente di andarsene. Fino a qualche mese prima l'avevo vista ancora capace di gustare i cibi, di chinarsi sulle immagini di un album con occhi sereni.

Ma ritrovarsi in un ospedale, senza voce, senza musica, alla mercé dei medici e delle medicine, le ha strappato dal petto quel poco di voglia di continuare che aveva conservato. Non l'ho compreso che dopo, quando era troppo tardi, per dirle che la capivo anche se mi addolorava.

Tu non hai sorelle, Flavia, e forse non puoi comprendere come sia straziante dire addio ad una persona che ti è stata vicina fin da quando eri bambina. Forse ti sarebbe piaciuto avere una sorella con cui chiacchierare dolcemente prima di addormentarti. Ma il tuo padre violoncellista e la tua corrucciata madre pianista non ne hanno voluto sapere. Forse per non sbilanciare il già precario equilibrio di un matrimonio sospeso nel vuoto, forse per non dividersi idealmente un altro affetto, un altro progetto di educazione familiare. O forse perché tua madre, così giovane, era già una sorella e lo diventerà sempre di più mano mano che tu crescerai e lei sarà ancora una giovane donna che, con le sue mani delicate, sa suonare il piano come cucinare cibi prelibati per la sua unica figlia.

Io ho avuto due sorelle e per quanto non le abbia frequentate molto da adulta, sono sempre state sedute sulle panchine del mio cuore. Potevo anche fingere di dimenticarle, ma erano lì a ricordarmi la consistenza profonda del trio originario. C'è Giacoma, la più piccola e la più sapiente, la più severa e la più discreta. Poi Akiko, chiamata così perché è nata in Giappone ed era la più imprevedibile, la più inquieta, la più generosa e la più disperata delle tre. Poi ci sono io che scrivo per il teatro e sono la sola a non avere avuto figli. Akiko ha una figlia, Gioia, così poco gioiosa in questi ultimi tempi da farci temere per la sua salute. Giacoma ha due figlie, molto belle, una vive in America e fa l'attrice, un'altra vive a Roma con lei e diventerà certamente una scienziata perché già mostra i segni di una personalità forte e tenace nelle sue passioni speculative.

Non è che io non volessi figli. Uno l'avevo desiderato e coltivato. Ma è morto poco prima di nascere. Di lui (perché stranamente era un maschio in una famiglia di femmine) conservo un ricordo buio e felice, di quando scalciava allegramente nella mia pancia e mi parlava in una sua lingua muta e dolcissima.

Non so cosa significhi essere figlia unica, come te, Flavia, ma per niente al mondo rinuncerei, se potessi tornare indietro e decidere per i miei genitori, alla presenza delle mie due sorelle. Anche le geometrie carnali hanno la loro profonda e necessaria perfezione, e noi ne eravamo consapevoli. Sapevamo che il nostro triangolo era essenziale, di quella essenzialità oscura delle cose naturali che avrebbe condizionato la nostra vita futura anche se il triangolo si fosse spezzato.

«Ora siamo rimaste in due» mi ha detto Giacoma tornando dal cimitero. Ma credo che sia vero solo in parte; perché i legami d'infanzia sono più robusti delle radici di una quercia e non smettono di fare circolare le loro linfe, anche quando l'albero è stato tagliato.

Non ti secca se continuerò a scriverti? Non so neanche se ti spedirò mai queste ultime lettere. Ma lo scriverti mi dà pace e di pace ho bisogno in questo momento di pena.

Con tutto l'affetto della tua

Vera

Cara Flavia,
   è più di un mese che non ti scrivo. Sono stata inchiodata alla mia scrivania. Dovevo consegnare il testo per le prove ed ero in ritardo. Gli attori e il regista erano già pronti, mancavo solo io. Perciò mi sono chiusa in casa e ho scritto dalla mattina alla sera. Finché non ho finito e ho consegnato il manoscritto alla compagnia. Oggi stesso cominciano le prove.
   Il mio è un lavoro da artigiana, lo sai, non molto dissimile da quello di un buon panettiere che mescola la farina con cura, misura il lievito, aspetta pazientemente che la pasta prenda corpo, la lavora per ore dando "olio ai gomiti" come diceva mio nonno e infine, la inforna, la fa cuocere e quando ancora il pane è caldo, lo mette in vendita sperando che sia mangiato con gusto.
   A me il pane piace moltissimo. Non conosco niente di più succulento di un pezzo di pane caldo intinto nell'olio di oliva. Lo sai che quando vado a Palermo torno con la valigia piena di pane; il "rimacinato" come lo chiamano i palermitani, è un pane spugnoso e giallastro, di pasta densa e crosta dura,

coperta di semi di cumino. Un pane profumato che chiede di essere mangiato.

Sono i libri e il pane che rendono pesanti le mie valigie. Qualche volta gli amici che vengono a prendermi all'aereo mi chiedono: «Ma che c'è qui dentro, pietre?». Il fatto è che ovunque io vada, compro libri e poi mi ingegno di farli entrare nella mia piccola valigia che è sempre gonfia come un otre. Se poi ci aggiungo anche il pane, puoi immaginare quanto si faccia pesante.

Tuo zio Edoardo si è fatto vivo l'altro giorno. Mi ha detto che ha saputo da te, dalla lettera che ti ho scritto, i particolari della malattia di mia sorella. Mi ha anche detto che sono rimasta a metà del racconto. E il seguito?

Mi ricordi una bambina curiosa che chiedeva continuamente a sua madre: «Mi racconti una storia?». E la madre raccontava di quel re che aveva tre figlie. Ma succedeva che si interrompesse a metà per qualche incombenza familiare e alle mie richieste facesse finta di avere dimenticato la storia già cominciata. Io protestavo. Lei diceva: «Una storia ne vale un'altra, su, Vera». Invece io (avrai capito che quella bambina ero io) volevo proprio quella storia che aveva cominciato e non finito, quella e non un'altra. Nella mia testa ogni storia aveva un arco che non poteva rimanere aperto, doveva concludersi per essere considerato un vero arco, doveva raggiungere di nuovo la terra per trovare il suo equilibrio narrativo.

Dunque, all'ospedale di Rieti, una mattina umida di un caldo agosto, mia sorella Akiko è stata operata alla gola e io percorrevo i corridoi pregni di quel bruciante odore di disinfettante e di minestrina in brodo; mi sembrava una punizione dopo l'aria dei boschi che mi ero lasciata alle spalle. Mi chiedevo come potessero guarire i malati avvolti in quell'odore malsano, testimonianza minima della massima incuria in cui versavano.

Perché gli ospedali sono tenuti così male, Flavia, sai dirmelo tu? Eppure costano moltissimo alle amministrazioni comunali e regionali, cioè a noi cittadini.

Le mie scarpe inciampavano nei buchi delle mattonelle rotte dei corridoi, i miei occhi si posavano avviliti sulle finestre scrostate, sui balconi smozzicati, sulle scale macchiate di nero, sulle tapparelle decisamente sfasciate, incapaci di scorrere sia verso l'alto che verso il basso.

I malati, mi veniva da pensare, sono trattati come "vuoti a perdere", corpi privi di necessità, lasciati a languire nello sfasciume. «Ma i medici sono ottimi, signora, e le macchine che abbiamo noi non le possiede nessuna clinica di lusso» mi dice una infermiera. E credo che abbia ragione. Ma non bastano i medici bravi e le macchine più avanzate. I malati hanno bisogno di un ambiente che non li faccia sentire sgraditi e inutili.

Salgo in fretta al terzo piano, entro nella stanza numero 27. Ci sono altri cinque letti oltre a quello di mia sorella, ciascuno col suo comodino di metallo su cui si ammucchiano bottiglie di acqua, piatti coperti da tovaglioli, segni inequivocabili di un tentativo di rimediare alla cucina dozzinale dell'ospedale-caserma.

Akiko ha sollevato gli occhi facendo un visibile sforzo per apparire serena. «Come stai?» le ho chiesto baciandola. Mi ha indicato la gola su cui palpitava un quadrato di garza. Non poteva parlare. Ma non voleva soccombere alla disperazione e con gesti lenti ma fermi ha cominciato a scrivere qualcosa su un pezzo di carta che teneva sul comodino. «Sto bene, e tu?» «Anch'io, e tu?» Sembravamo il violoncello di tuo padre e il violino di tuo zio che si cercano insistenti, petulanti. Ma qui le corde erano state tagliate e dai legni pieni di echi non venivano che soffi rauchi, dolorosi.

Le ho preso una mano fra le mie. "Devo farle coraggio" pensavo. Ma lei ne aveva più di me che tremavo. È sempre stata determinata e impetuosa mia sorella Akiko, nonostante le molte fragilità. Non so perché fosse così profondamente disperata, tanto da sprofondare in una malattia che le è rimasta addosso per oltre vent'anni. Se la ricordo ragazza, la vedo sempre in bilico sull'orlo di qualche pericolo.

A sei anni è caduta giocando sulla tolda della nave che ci riportava in Italia dal Giappone ed è rimasta in coma per dieci ore. A dodici anni ha avuto la difterite: ricordo ancora la camera isolata, in cui era stata rinchiusa, accanto alle cucine della villa dei nonni di Bagheria. Noi sorelle potevamo salutarla solo dalla finestra, mentre mia madre andava e veniva con le siringhe, le pappine, le borse col ghiaccio.

Ogni volta però si era ripresa, era tornata rotondetta e impetuosa come prima. Ogni volta aveva ripreso a cantare con la sua liquida e purissima voce che tanto mi incantava. Una voce che aveva fatto innamorare di sé un giovanotto dall'aria meditabonda e gentile che poi l'aveva sposata e da cui aveva avuto una figlia.

Eravamo rimaste gravide nello stesso periodo. «Ti ho superato in curva» mi aveva detto usando una terminologia automobilistica che risentiva delle passioni del giovane marito. La vedo ancora, seduta accanto alla finestra di casa sua, la bambina appena nata in braccio, il seno scoperto, il sorriso soddisfatto di una ragazzina che l'ha fatta grossa. Era la prima di una nuova generazione che lei aveva voluto regalare alla famiglia. Mio figlio invece non era mai nato, e coi suoi piccoli piedi nudi era passato dai pavimenti tondi e soffici della mia pancia a quelli tondi e soffici delle nuvole.

Una madonna soffusa di azzurro e beata di sé non avrebbe potuto apparire ai miei occhi più sacra e perfetta di mia sorella Akiko in quella lontana estate in cui aveva allattato davanti a me la sua bionda e bianca bambina.

Trentasei estati sono trascorse da quella mattina di pienezza e ora era lì, in quel triste ospedale a respirare da un buco in gola. Perché una punizione così crudele? E per quale colpa, lei che era sempre stata generosa, onesta, seria e umile? Le ho appoggiato una mano sulla spalla e l'ho sentita sotto le dita, aspra e ossuta come una aletta di passero.

Ma lei non voleva suscitare pietà e per questo sorrideva orgogliosamente, mangiava con lentezza, portandosi metodicamente alla bocca il cucchiaio troppo pesante per le sue dita indebolite. Si sforzava di mandare giù lenta lenta quella minestrina in cui galleggiavano degli occhi di grasso. «Gioia dov'è?» ho scritto sul quadernetto. «In viaggio» ha ribattuto lei scrivendo con caratteri storti e sbilenchi. «Non vuoi che la chiamiamo?» «No, lasciala stare, che sia felice!» Ma come poteva esser felice una figlia unica che sta per perdere la madre?

Aveva un cuore indomito la mia Akiko, un cuore che gli indiani chiamerebbero Brahmaputra, ovvero la città del dio Brahma, capace di estreme saggezze ed estremi delirii. Peccato che non hai potuto conoscerla, Flavia, ti sarebbe piaciuta. Per te è solo un'ombra, qualcuno di cui avevi appena sentito parlare.

Sono rimasta con lei fino alle prime ore del pomeriggio, quel giorno di agosto. Poi sono rientrata nella mia casa di montagna rifacendo all'inverso i duecento chilometri che ci separavano. L'ho lasciata con mia madre, con Gino, l'uomo da lei amato quindici anni prima rimastole poi amico nel corso degli anni nonostante l'amore si fosse consumato. Ma amico è dir poco: le è restato vicino fino alla fine con una dedizione e una pazienza senza confini. Forse questo è il vero amore, non più guidato dal desiderio sessuale ma profondamente radicato nel corpo, brutto o bello che sia, dell'altro.

Ho ripreso il mio lavoro da panettiera. Ogni sera telefonavo per sapere se Akiko migliorava. «Si sta riprendendo» diceva Giacoma. E io lavoravo coltivando speranze, in mezzo ai miei boschi abruzzesi.

Sono tornata due giorni dopo a vederla. Nel ripercorrere i corridoi dell'ospedale mi sembrava ogni volta di scoprire nuovi guasti, nuove trappole, nuovi segni di trascuratezza. Guardavo dalle finestre della camera 27, al terzo piano, la campagna intorno all'ospedale, così desolata, così brutalmente segnata dalla mano dell'uomo che aveva tagliato, bruciato, spianato, scavato, livellato e cementificato.

Ho imparato a conoscere le donne che giacevano nei letti vicini: una madre di otto figli sfigurata da un guasto al polmone, una donna di ottant'anni curvata in due dall'artrosi che divorava come un lupo le abbondanti e grossolane pietanze dell'ospedale; una ragazza dagli occhi pesti e brillanti di febbre che gesticolava con le braccia nude e bianchissime. Ciascuna aveva il suo grappolo di parenti incollati al letto: chi appoggiato all'intelaiatura di metallo, chi seduto sul materasso, chi accucciato accanto al corpo della malata. Per terra avevano posato i sacchi di plastica carichi di cibo e di bevande per le loro care.

Pensavo davvero che la tenacia di Akiko avrebbe avuto la meglio sulla violenza della malattia. Intanto cercavo di darmi forza per proteggerla. Ogni malato diventa un poco un figlio o una figlia da accudire e difendere contro il male. Non a caso le infermiere parlano ai malati dando loro del tu e trattandoli come bambini. Solo che mentre coloro che li amano lo fanno con tenerezza e trepidazione, le infermiere lo fanno a freddo e finiscono per risultare manierate e stucchevoli.

Quel corpo bambino, prigioniero di un letto, diventa così fragile e leggero. Bisogna perfino stare attenti a toccare loro il cranio, come succede coi neonati, altrimenti si rischia di ferirli.

Assistevo a quei pasti distribuiti frettolosamente, senza garbo: quelle minestrine che avanzavano traballando sui carrelli, dentro i piatti pesanti da ristorante, quei pasticci di pollo che mandavano un odore di pelle bruciacchiata, quelle puree di patate troppo bianche e lucide per non dare il sospetto che fossero fatte con polveri rinvenute nell'acqua calda; quelle paste asciutte dal sugo violaceo e rappreso che aveva tutta l'aria di essere stato cotto il giorno prima e poi riscaldato all'ultimo momento.

I parenti aprivano i loro fagottelli e ne sortivano delle torte di uova e verdure, dei tortelloni ripieni di funghi e ricotta, dei dolci fatti in casa con le fettine di mele caramellate disposte a fiore, dei fichi appena colti dall'albero avvolti nella carta argentata.

Anch'io portavo frutta fresca e biscotti ma la trovavo sempre più magra, più pallida la mia malata, faticosamente intenta a tenere insieme il suo minuscolo corpo umiliato.

«Sta guarendo» cercavo di convincermi «altre volte ce l'ha fatta, anche questa volta supererà l'offesa, ha tante risorse.» Ma mi illudevo, volevo ingannarmi. Lei sapeva di essere ai confini e si preparava a passare di là con passo sereno.

Un pomeriggio che ero alle prese con le asperità di un dialogo fra creature di un mondo lontano nel tempo è arrivata una telefonata di mia sorella Giacoma: «L'hanno portata alla rianimazione, corri». Non sapevo nemmeno cosa fosse la "rianimazione", ma capivo che era grave. Mi sono precipitata pigiando sull'acceleratore, il cuore come una trottola.

La gola di aceri e faggi che divide l'Abruzzo dal Lazio mi stava diventando familiare. Gli occhi erano fissi sulla strada asfaltata, ma sentivo i boschi fitti e misteriosi che sfilavano al di là del vetro. Sembravano dirmi qualcosa di poco rassicurante quegli alberi, ma cosa?

Alla rianimazione ci sono altri parenti in attesa. Ci si guarda con pena, come sapendo che i nostri cari stanno attraversando un terreno minato. Basta un passo falso perché saltino per aria e vengano inghiottiti. Al di là della grande porta a vetri, nella penombra di un vasto salone, dei corpi vivi stanno faticosamente procedendo, a tentoni, su quel terreno infido.

Per entrare nella sala di rianimazione bisogna indossare una specie di camice verde, bisogna coprirsi la bocca con una garza munita di lacci, quindi si può superare la soglia, ma uno per volta e in assoluto silenzio. È proibito avvicinarsi troppo, toccare il malato, baciarlo, o anche solo sedergli accanto.

Ce ne stiamo nell'ingresso, impauriti e avviliti ad aspettare il nostro turno leggendo il regolamento affisso sul muro. Tocca per prima a mia madre. Che si infila il camice verde, la mascherina di garza, e si incammina in punta di piedi verso l'antro buio. Sparisce al di là dei vetri, ma per un tempo brevissimo; la vediamo tornare poco dopo piangendo. «Che pena, che pena» dice e la sua voce la riconosco appena, ha perso ogni colore, ogni slancio.

Ora tocca a me. Indosso anch'io il camice, mi avvio verso la grande porta trasparente che si apre soffice su una sala in penombra. La temperatura è stabile, la luce tenuta al minimo, si sentono solo i sibili delle macchine per l'ossigeno. I letti sono molti ma lì per lì mi sembrano vuoti tanto sono immobili e silenziosi i corpi che li abitano. Sono corpi tenuti legati alla vita da tubicini, bombole, aghi, siringhe. Si capisce che basterebbe un solo soffio per farli precipitare nel nulla. Questa, ora lo so, è la "rianimazione".

Mi hanno detto che il letto di Akiko si trova in fondo alla sala, a sinistra, ma il cammino che faccio in mezzo a quei corpi chiusi nei lenzuoli come dentro dei bozzoli mi sembra lunghissimo. Cammino, cammino, cercando di non guardare con troppa insistenza verso i letti per non apparire indiscreta. Sento che anche solo uno sguardo potrebbe ferirli.

"Sette paia di scarpe ho consumato, / sette fiaschi di lagrime ho versato / per venire da te." Mi rendo conto che sto camminando in mezzo ad una foresta come quella che ho attraversato prima in macchina e che sembrava volermi dire qualcosa.

Non ho mai sentito gli alberi come nemici, ma in questo caso non si trattava più di alberi fronzuti ma di severe sentinelle che comandavano una zona di passaggio fra l'esserci e il non esserci, fra la coscienza e il buio. Da un momento all'altro avrebbero potuto appoggiarmi una mano guantata sulla spalla per fermarmi in quel lungo cammino doloroso e dirmi: alt, qui non si passa. Avevo orrore di quel divieto perché avrebbe significato la separazione definitiva da mia sorella. Ma nello stesso tempo sapevo che senza quelle guardie notturne il passaggio sarebbe stato più ambiguo e crudele.

Stremata dalla lunga fatica di quel viaggio che nella mia coscienza è durato anni, arrivo al letto di Akiko e sono talmente sollevata nel vederla sorridere che ricomincio a sperare. "Ecco che si riprende" penso "se la caverà, ha l'aria di volerlo veramente." Ma capirò dopo che desiderava solo rassicurarmi. Anche lei, in quelle foreste minacciose, teneva a rincuorarmi e il luccichio dei suoi occhi esprimeva la sua volontà di mostrarsi coraggiosa e tenera, fino in fondo.

Le sorrido, cerco di prenderle la mano ma i cerotti che le tengono gli aghi incollati al braccio me lo impediscono. Mi chino per baciarla, ma poi ricordo che è proibito. Cerco di parlarle con gli occhi. So che, anche volendo, non può rispondermi. La garza bianca palpita come un'ala di farfalla sopra la ferita aperta nella gola.

Mi fanno cenno da lontano che il mio tempo si è consumato; devo lasciare il posto a qualcun altro. Le mando un bacio con le dita e torno verso il gruppetto rattrappito dei parenti stretti nella sala d'attesa. Le uniche due panche di fòrmica sono occupate. Gino sposta penosamente il suo peso da una gamba all'altra. Mia madre è così priva di colori da sembrare un fantasma.

Mi tremano le gambe. Devo uscire. Aspirare qualche goccia di aria fresca è come bere acqua di fonte dopo una ubriacatura di liquori pesanti. E adesso? «I medici dicono che può tornare alla normalità, purché lo voglia.» Ma lo vuole davvero? Ripensandoci, era come se stesse prendendo le misure per scappare dallo stretto finestrino della prigione in barba a tutte le sbarre, a tutti i guardiani, a tutti i lacci, le siringhe che volevano tenerla relegata alla mercé di bisturi, medicine, camici: lontana dalla sensualità e dall'intelligenza della vita quotidiana.

Un bacio, Flavia, a presto

tua
Vera

5 marzo 1995

Cara Flavia,

chissà se ti interessi ancora ai folletti, cresciuta come sei. D'altronde anch'io, da quando ti ho persa di vista, non mi occupo più di lui. Non l'ho neanche più sentito fischiettare. Forse se n'è tornato al paese dei folletti, dove si è messo a fare un mestiere da adulto, uscendo da quello stato di infantilità balorda in cui lo teneva il suo nome. Farà il falegname, come Geppetto. O come il mio amico Sebastian che costruisce mobili senza l'uso dei chiodi, con la sola arte dell'incastro e sa riconoscere al tatto e all'odore i legni più misteriosi: dall'obeke africano all'astro nero del Brasile, dal patuk delle foreste amazzoniche all'acero bianco canadese.

Un giorno mi hai chiesto: «Ma cos'è davvero un folletto?». E io mi sono ricordata che è una parola di origine provenzale e forse per questo mi è sempre piaciuta. Folletto, piccolo folle, dal latino *follis* che vuol dire "cosa gonfiata d'aria", ovvero oggetto leggero.

I poeti provenzali usavano spesso la parola *foll*,

follet, follette e hanno passato il gusto ai poeti catalani. Anche i francesi l'hanno amata, questa parola. Mi viene in mente un bel libro tenebroso di Drieu La Rochelle che si chiama *Feu follet*.

"Fiamma erratica prodotta da emanazioni gassose che, alzandosi da zone acquitrinose, s'infiamma spontaneamente", spiega il Littré. Curioso che non citi i fuochi fatui che si vedono qualche volta nei cimiteri.

Poil follet invece è il "pelo folletto", quel "pelo leggero e rado che nasce prima della barba" continua la voce del vecchio Littré. Che tuo zio Edoardo sia abitato dal *poil follet*?

"Tutti siamo costretti, per rendere sopportabile la realtà, a tenere viva in noi una qualche piccola follia" dice Proust. Forse per questo ho coltivato a lungo il mio folletto, come un segno vivo di quel *follere* che in latino significa muoversi rapidamente, con inquietudine di qua e di là, senza una vera ragione.

So che sei cresciuta ancora, lo dice tuo zio, ma nella mia mente non riesco, Flavia, a vederti diversa da come ti ho conosciuta lassù sullo Sciliar, col tuo cappelletto rosso ciliegia e le tue scarpe rosso pomodoro, le tue guance rotonde, i tuoi grandi occhi inquisitivi, le tue mani cicciottelle, il tuo ciuffo castano. Forse il tempo si è improvvisamente impietrito dalle tue parti. O dalle mie, chissà, e io continuo a saggiare la sua materia calcarea per sentire quanta resistenza ha.

Ti ricordi quando non volevi andare a letto e tua madre, con un occhio all'orologio, ti diceva calma e decisa: «Ora, Flavia, devi salire a coricarti». E tu ti torcevi come un'anguilla perché non volevi sparire sotto le coperte, non volevi chiudere gli occhi. Un istinto molto diffuso fra i bambini. Che forse, proprio perché hanno lasciato da poco la lunga notte della non esistenza, sono restii a sprofondare nel sonno. Non è stato detto che dormire è un poco morire? Il sonno non è forse un modo per allenarci al definitivo abbandono e alla perdita di sé? "Grato m'è il sonno / e più l'esser di sasso" dice Michelangelo.

Una volta tua madre è venuta giù scoraggiata dicendo che non volevi proprio saperne di prendere sonno. E io mi sono offerta di raccontarti una favola. Lei ha acconsentito un poco riluttante perché non amava che qualcuno invadesse quello spazio sacro che univa la sua persona alla tua.

Siamo salite da te. Lei poi pudicamente si è accinta ad ordinare le tue cose sparse intorno mentre io mi sono accoccolata accanto al letto, ti ho stretto una mano e ho preso a raccontarti una storia che cominciava fatidicamente con "C'era una volta un re", te la ricordi?

Tutte le favole cominciano pressappoco così. È un modo per entrare, lessicalmente, nell'incanto di una avventura. «Mi racconti una storia, mamma?» chiedevo da bambina e lei si accingeva a sbrogliare pazientemente, davanti ai miei occhi, la matassa intricata delle vicende di quel re che aveva tre figlie e in giardino un albero che faceva le mele d'oro. Sento ancora sulla lingua il sapore dell'attesa: cosa sarebbe successo quando un uccello enorme, dalle ali d'oro, avesse rubato tutte le mele d'oro del re? Sarebbe stata la maggiore o la minore a sbagliare strada, finendo in un vicolo tutto rovi e serpenti, per andare a cercare le mele d'oro del padre re? Il piacere era profondo e diramava le sue radici nel sottosuolo dell'immaginazione come una pianta che cerchi l'acqua nelle oscurità della terra. Quella terra è la memoria, una memoria che abbiamo in comune con la specie e che ci rende tutti dipendenti dalla sublime arte del narrare.

Invece di addormentarti quella sera tu hai preso a sorbire la mia storia sgranando sempre di più i grandi occhi sorpresi. Ti aggrappavi ai personaggi come a delle rocce sporgenti dall'acqua marina per non affondare nel liquido sonno. E quando io rallentavo mi incoraggiavi a proseguire: allora?, e poi? Così sono andata avanti per non so quanto, forse mezz'ora. Anche tua madre si era acquietata, forse dormiva o ascoltava anche lei la lunga storia di quel re e delle sue tre figlie che andavano in cerca delle mele d'oro, si perdevano nei boschi, per poi ritrovarsi in città incantate e giardini fatati in cui gli orsi e le formiche parlavano con voce umana.

Solo quando la storia è terminata, tu hai chiuso le palpebre con un sospiro. E io non sapevo se essere contenta per averti tenuta sveglia con la mia favola o scontenta per avere ritardato di tanto il tuo sonno.

Ma oggi, se tu mi chiedessi una storia, cara Flavia, non saprei raccontarti altro che una storia vera, la storia del mio incontro con la morte. A tu per tu col suo muso secco, cercando di capire, senza veramente riuscirci, chi sia.

Torno all'agosto dell'anno scorso, mentre me ne stavo nella piccola casa di montagna a scrivere i miei testi teatrali. Le mie giornate lassù sono scandite da tempi certosini: la mattina mi alzo alle sette, do da mangiare al cane, al gatto, e mi seggo alla macchina da scrivere. A mezzogiorno infilo gli scarponcini e me ne vado in paese a comprare i giornali e il pane fresco. Poi pranzo, faccio un breve riposo e quindi torno alla macchina da scrivere. Fino alle sei, ora in cui mi infilo nuovamente gli scarponcini e me ne vado a spasso per i boschi.

Gli ospiti, se ci sono, possono fare quello che vogliono. Io chiudo la porta del mio studio che dà sulle cime incappucciate del monte Caprino e mi concentro su quel difficile e dolcissimo enigma che è la scrittura.

Solo la sera mi scrollo di dosso le parole scritte e mi dedico alla cucina. Mi piace preparare piatti complicati da offrire agli amici. Mi dedico anche alle marmellate, ai sottaceti, e sai che qualche volta mi sembra di sentire in mezzo alle pentole lo squittio del provenzale *follet*.

"Spiriti leggieri, volubili e mattarelli che un dì si credevano popolare le regioni dell'aria e che si insinuavano spesso per le case dei mortali a molestare, senza essere veduti, le fantesche e le altre persone povere di spirito" spiega Ottorino Pianigiani nel suo un poco antiquato *Vocabolario della lingua italiana* che ho comprato su una bancarella qui in montagna. Che io prenda, mentre cucino, qualcosa della fantesca povera di spirito?

Ma in quei giorni, cara Flavia, non riuscivo neanche a cucinare. Mia sorella era uscita dalla sala di rianimazione ma non si riprendeva come avremmo voluto. «Mangia?» «Sì, mangia, ma di malavoglia» diceva Giacoma al telefono. «Ha ricominciato a scrivere sui foglietti?» «Sì, qualcosa.» «Allora possiamo riportarla a casa?» «I medici dicono di aspettare ancora qualche giorno.» «Vengo sabato a trovarla.»

Invece, la notte del giovedì, sono stata svegliata da uno squillo inquietante. Corro a rispondere. È

Giacoma che grida nella cornetta: «Non ce la fa, non ce la fa, vieni subito».

Per la ennesima volta mi sono gettata nel viaggio precipitoso fra le montagne scoscese e solitarie, verso l'odioso ospedale che teneva prigioniera Akiko. Con me c'era anche Giovanni, il mio sposo etrusco, a cui sarò sempre grata per la premura, la pazienza e l'affetto con cui mi è stato vicino in quei giorni di pena. Arriviamo all'ospedale alle sei di mattina. Il terreno intorno è ancora bagnato dalla guazza notturna. Due corvi si levano in volo gracchiando dal posteggio vuoto. Le porte dell'ospedale sono state appena aperte e delle donne con la cuffia verde in testa stanno lavando i pavimenti.

Mi precipito al terzo piano, stanza numero 27. Mia sorella non è nel suo letto. E nessuno sa dirmi dove possa trovarla. Giriamo per i corridoi, in mezzo ai malati in pigiama che vanno e vengono dai bagni. L'aria è pregna di un odore aspro di caffè di cattiva qualità.

Finalmente qualcuno mostra pietà per questo nostro lungo peregrinare in cerca di Akiko e ci guida all'ultimo piano, davanti ad una porta chiusa. «La deceduta si trova lì, entri pure.»

Come "deceduta"? adesso chiamano le malate "decedute"? Mi intestardivo a pensare che si trattasse di un errore lessicale. «Sono veramente stupidi» ho detto a Giovanni «non sanno nemmeno usare le parole giuste.»

Piuttosto era l'assenza di Giacoma che mi inquietava. E Gino dov'era? e mia madre? Possibile che se ne fossero andati lasciando sola l'ammalata? «Sono tornati a casa per riposare un poco dopo una notte in bianco» ha detto l'infermiera prima di lasciarci soli. E questo mi ha fatto capire che la parola "deceduta" era quella giusta. Giacoma, mia madre e Gino non sarebbero mai andati via se Akiko fosse stata ancora viva.

Volevo aprire quella porta ma i miei piedi si impuntavano sulla soglia, ostinati. Finché non l'avessi vista, la parola "deceduta" sarebbe stata solo un guscio vuoto. Ho trascinato Giovanni verso una panchina in fondo al corridoio e lì siamo rimasti per non so quanto, sgomenti, in silenzio, a fissare la porta su cui un raggio di sole si allargava timido e insistente. Dovevo prendere quella verità fra le mani, annusarla, capirla, accettarla. Ma per il momento non ci riuscivo, semplicemente non ci riuscivo.

Mentre combattevo una battaglia persa in partenza contro la verità, è arrivato un infermiere, zoppo, vestito di verde, con qualcosa di morbido e di goffo insieme. Ha aperto la porta trascinando dentro una barella con le ruote. Ne è uscito poco dopo con il corpo morto di Akiko coperto da un lenzuolo.

Piccolo, storto, sorridente, l'uomo ci ha fatto segno con la testa di seguirlo. L'impacciato e rosso Caronte dal piede offeso ci chiamava perché lo accompagnassimo al di là del fiume.

Insieme siamo scesi nei sotterranei dell'ospedale, insieme abbiamo percorso lunghi corridoi ingombri di oggetti abbandonati: letti scassati, materassi strappati e macchiati, sedie senza zampe, carrelli privi di ruote. In un angolo si ammucchiavano degli enormi sacchi neri pieni di rifiuti. Io seguivo la nostra guida come un automa, capace solo di fare attenzione ai particolari più insignificanti.

Un'altra porta, un altro corridoio, una stanza minuscola e scura. Di fronte, uno scaffale rovesciato su cui brillava un pettine di plastica, bianco. Il Caronte zoppo, nel suo camice verde erba, è scomparso con la barella, chiudendosi la porta alle spalle. Non prima di averci rivelato la prossima mossa: «Ora la vestiamo e poi la esponiamo». Parlava scandendo le parole come se dovesse farsi capire da qualcuno che ha difficoltà di udito. Intanto erano arrivati anche mia madre, Giacoma e Gino.

Mentre l'infermiere la vestiva al di là della porta chiusa, il mio sguardo si è soffermato, assente, su quel pettine bianco abbandonato sopra lo scaffale. «La vestirà» mi ripetevo, sarà una "vestizione". E la parola "vestizione" dagli echi rituali mi distraeva dallo strazio. Si "vestono" le Madonne per l'esposizione nei giorni di festa a loro dedicati, si "vestono" gli attori prima di mandarli sulla scena, si "vestono" le bambole prima di intraprendere quel tenero o temibile gioco della finzione materna. Akiko in quel momento era una Madonna pronta per la processione, era l'attrice pronta per la recita, era la bambola pronta per il gioco, l'ultimo della sua vita.

Infine la porta si è aperta ed è apparsa lei, la "vestita", chiusa in una camicia coi pizzi sul collo, una lunga gonna lilla, le mani incrociate sul petto. Sapevo che, per piegarle a quel modo, il Caronte aveva dovuto forzare e tirarle quelle dita paralizzate. Un immediato dolore alle giunture si è irradiato fra le mie dita.

Ma la cerimonia dell'esposizione richiede una geometria stabilita: la morta deve avere le palpebre calate, la bocca chiusa, il corpo composto, le mani intrecciate sul petto, i piedi uniti con le punte rivolte verso l'alto.

Avrei voluto abbracciarla, baciarla, la mia sfortunata sorella, ma non riuscivo a muovermi: il mio corpo era chiuso dentro la trappola di una ottusità silenziosa. Poteva solo guardare e lo sguardo si fermava, insistente, inebetito su quel pettine bianco, da bambina, che continuava a scintillare sullo scaffale rovesciato. E se, con un atto di volontà, distoglievo lo sguardo dal pettine, esso si posava, tormentoso sulle dita intrecciate dalle nocche troppo bianche, sulle unghie corte e pulite, private del loro rosa; sulla garza che chiudeva la ferita del collo, che non palpitava più al ritmo del respiro ma posava lì inerte e opaca; sulla scarpa ortopedica dal tacco alto dell'infermiere; sulla collanina d'oro che ciondolava contro il suo petto peloso; sulla lampadina penzolante dal centro del soffitto coperta di polvere e di mosche morte; sul pavimento di mattonelle rossicce e dissestate; sulle gobbe dei sacchi di immondizia appoggiati contro la parete di fondo.

Ora la barella veniva spinta da un'altra parte e noi tutti l'abbiamo seguita silenziosi e istupiditi. Ovunque allungassi lo sguardo trovavo oggetti abbandonati, come a confermarmi che la vestizione dei morti è considerata una cosa necessaria, ma "indecente", da compiere nel buio delle cantine, fra povere cose gettate, gettati anche essi, come un sacco di rifiuti in mezzo ad altri rifiuti.

Una stanzuccia senza finestre in fondo ad altri infiniti corridoi. Ecco dove ci ha guidati il nostro Caronte. Adesso è lì che zoppica, suda, ma continua a sorridere rassicurante mentre si rivolge a noi per dare ordini brevi e precisi: di qui, attenti al gradino, posate i fiori, la porta deve restare aperta, le candele, se volete, si pagano a parte.

Ora Akiko è sdraiata, composta, in mezzo ai fiori, in quella misera stanza buia e noi ci avviciniamo per guardarla da vicino. Mi affaccio anch'io su quel baratro e mi sembra improvvisamente di affacciarmi al di là della balaustra del piroscafo che ci riportava in Italia. Sono stata colta da una vertigine crudele. In fondo, lontanissimo, ho distinto la faccia distesa di mia sorella Akiko. Ma come raggiungerla, come fermarla, come parlarle? Le grandi acque dell'oceano non aspettano: la nave continua la sua corsa mentre al di là della fatata balaustra la massa delle onde non cessa nemmeno per un momento il suo estenuante terribile lavorìo naturale. Certo, se uno vuole, può buttarsi di sotto e lasciarsi inghiottire dai marosi, ma sarà un salto solitario, come solitario è lo sguardo che precipita nel vuoto. La morte non prevede incontri.

Ti saluto, cara Flavia e perdonami se ti ho rattristata, ma la storia che cattura la mia fantasia in questo momento è proprio questa.

Con affetto

tua
Vera

18 marzo 1995

Cara Flavia,
    ieri ho avuto a colazione tuo zio Edoardo assie-
me alla sua nuova fiamma, la bella Margherita dagli
occhi neri liquidi. Sono contenta di vederlo contento. «Perché non ti sposi, mi sembra la moglie giusta
per te.»
    «Io vorrei sposarmi, ma lo sai, è come se avessi
un angelo custode che difende strenuamente il diritto al celibato.»
    «Non ti piacerebbe fare un figlio, hai quasi qua-
rant'anni.» Ha sollevato su di me i grandi occhi noc-
ciola, sorridenti ed elusivi e non ha risposto.
    Abbiamo mangiato melanzane ai ferri, mozzarel-
la di bufala e insalata di arance, con capperi e olive
nere. Avevo preparato anche una torta al cioccolato,
morbida e non troppo dolce, come piace anche a te.
Tuo zio l'ha mangiata di gusto. La bella Margherita
l'ha appena assaggiata.
    «E Flavia?» ho chiesto. «Pensa solo agli animali.
Si addolora quando vede un cane abbandonato, un
uccello ferito. Se continua così avrà un avvenire pieno di pene.»

L'ha detto come se per una ragazza anche bella, l'eccessivo amore per gli animali potesse costituire un impaccio nei rapporti con gli uomini.

«Ho paura che caschi nel buonismo» ha detto bevendo del vino rosso.

«Ma cos'è il buonismo?»

«Fingere una bontà che non si prova.»

«Ti sembra che finga?»

«No, che soccomba a una moda.»

«La bontà può essere una moda?»

«Sì, se è un vestito che si indossa per infatuazione estetica.»

Dopo pranzo ci siamo seduti intorno al tavolo, davanti al grande mosaico di cartone, il cosiddetto *puzzle* che noi pensiamo sia il nome inglese del gioco e invece in Inghilterra lo chiamano *jigsaw*.

È una passione che mi accompagna da quando ero bambina. Ho una fotografia, fattami da mio padre, in cui sto con una mano sospesa per aria, gli occhi attenti e puntati sul tavolo, i capelli quasi bianchi tanto erano biondi, ricadenti sulle guance. Avrò avuto sei anni. A quell'epoca casa nostra era stata appena rallegrata dalla nascita di mia sorella Giacoma. C'è un'altra fotografia di noi tre sorelle in riva al fiume, forse solo due anni più tardi, in cui si vede Akiko, rotondetta e sorridente, gli occhi socchiusi per il sole, accanto a lei Giacoma in braccio ad una amica giapponese e dietro di loro, in piedi, il nostro bellissimo padre, pronto ad immergersi come un tritone felice nelle acque fredde del fiume in piena.

Le fotografie ci ricordano che il tempo è multiforme e che noi siamo parte di una catastrofe metamorfica. Le fotografie io le odio, Flavia, per quel potere illusorio che ti danno, di tenere saldo in mano qualcosa di te che è inequivocabilmente esistito, ma il presente nel momento che smetti di guardarle, ti precipita addosso come un cane affamato. Eppure le fotografie io le amo, cara Flavia, perché sono le sole testimonianze della struggente meravigliosa continuità familiare. Non a caso, quando non esisteva la fotografia, i nostri antenati affidavano ai ritratti il ricordo di sé.

Una volta, sai, ho fatto uno studio sulle donne fatali nei romanzi classici e ho scoperto che quasi sempre la donna fatale viene annunciata da un ritratto che, per strane combinazioni, si trova fra le mani del futuro innamorato come per una magica premonizione. Insomma il ritratto è lo specchio del futuro e sta lì a raccontarci una storia che ci accenderà fra poco ma di cui adesso scorgiamo solo i riflessi sulfurei?

Nastasja Filippovna per esempio non appare subito nel racconto del ritorno in patria del principe Myškin. Ma un giorno l'Idiota (così chiamato per il suo candore che lo fa apparire quasi demente) trova per terra il ritratto di lei e lo guarda con tenerezza come se indovinasse che presto si perderà in lei, ubriacandosi dei suoi profumi. Eppure la prima volta che si incontrano Nastasja lo prenderà per un cameriere e gli getterà fra le braccia la pelliccia con fare noncurante.

Ma tu non hai ancora letto Dostoevskij e non puoi sapere di cosa sto parlando. Quando Nastasja Filippovna muore uccisa da Rogožin, il principe Myškin e lo stesso Rogožin si trovano insieme a vegliarla, seduti accanto al letto. Il corpo di Nastasja è coperto da un lenzuolo da cui sporge, come per un caso bizzarro, un solo piccolo piede bianco molto tenero e grazioso.

I corpi morti delle donne, nei romanzi, suscitano sempre allarme: con loro muore un progetto di riproduzione, un corpo toccato dalla grazia della maternità. Per questo piangevano le Furie di fronte al corpo trucidato di Clitennestra: per quanto assassina, era una madre e in quanto tale, sacra. Ma questo avveniva prima della salita al trono dei cieli di Apollo, il nuovo dio della bellezza e del potere maschile, splendido nella sua arroganza misogina.

Anche di fronte al corpo morto di mia sorella Akiko ho sentito il fruscio delle vesti delle Furie. Esse calano dal cielo, per quanto stanche siano le loro ali, per vegliare un corpo materno che lascia la presa e rinuncia alla vita.

Eppure noi non abbiamo potuto vegliarlo quel corpo materno perché l'ospedale chiudeva le sue porte dalle otto di sera alle sei di mattina. E la nostra Akiko è rimasta prigioniera di quel Caronte dalla medaglietta d'oro appesa al collo e il piede caprino. Non è arrivato nessun principe che la prendesse in braccio e la portasse nelle sue stanze innamorate.

Pioveva quella mattina di fine agosto e noi aprivamo i nostri ombrelli mentre degli energumeni bloccavano il coperchio della bara con chiodi lunghi e acuminati.

Ha continuato a piovere mentre un prete gioviale diceva messa inondando la chiesa di una voce sonora e pastosa. Non ha smesso di piovere mentre ci dirigevamo verso il cimitero.

Il corpo di mia madre sembrava essersi improvvisamente coperto di cenere. Proprio come facevano gli antichi guerrieri quando perdevano una battaglia e assistevano impotenti alla morte dei propri parenti e amici. Era grigia, polverosa e lontana, fattasi di colpo scheletrica come se avesse lasciato a casa la carne viva e avesse indossato una pelle svuotata e sgualcita. Intanto è arrivato anche mio padre con la sua affettuosa moglie giapponese. Stupito di questa morte improvvisa, sembrava chiedersi come sia possibile che una figlia muoia prima del proprio genitore.

Il cimitero di Castel Priora è un fazzoletto di terra chiuso da un alto muro di pietra. Doveva essere bello anni fa quando ancora non avevano costruito quelle cellette di cemento tutte allineate in cui adesso avrebbero rinchiuso la nostra Akiko.

Continuava a piovere, insistentemente, e noi, con i nostri ombrelli colorati, i nostri vestiti estivi, stavamo in piedi, intirizziti, a osservare i due becchini che stendevano la malta fra mattone e mattone. Ancora una chiusura, una separazione, ancora un esilio. Ma perché tanto accanimento?

Cara Flavia, scusa se continuo a parlarti della morte di mia sorella, ma non riesco ad accettarne la proclamata "normalità". Il mio pensiero che ama andare a spasso, gironzola, si avvia per nuovi sentieri e poi paf, si trova davanti quel muro di cemento. Un corpo che si pietrifica, che smette di emanare calore, morbidezza, ma che orribile scherzo è? Un occhio che non vede, un orecchio che non sente, e tutti quei pensieri tumultuosi e quelle fantasie leggere e quei desideri delicati e quei piccoli sentimenti quotidiani che distinguono la vita di una persona, dove sono andati a finire?

Proviamo a parlare un poco di te, Flavia. Chissà se tuo padre Arduino è ancora lì a costruire macchine che imitano la risacca del mare per dormire tranquillo. So che è stato in Giappone per una decina di concerti. So che non ha molto amato i pranzi a base di pesce crudo e l'uso, nei ristoranti, di sedersi per terra con le gambe allungate sotto il tavolo.

E tu? Ti immagino seduta al tavolino a fare i compiti su un quaderno a quadretti. I quaderni ti sono sempre piaciuti, non è vero? In questo ci assomigliamo: anch'io amo i quaderni e ne compro sempre di nuovi. Ci piacciono larghi, con la costa dura e la copertina sobria, nera e rossa o carta da zucchero, non è così?

Non so davvero, cara Flavia, perché continuo a scriverti: il sodalizio con tuo zio Edoardo è finito, morto e tu stai crescendo lontana da me, invisibile e occultata ai miei occhi. Ti ho dedicato un libro di racconti sui cani, lo sapevi? Si chiama *Storie di cani per una bambina*. Quella bambina sei tu. Ma è una bambina magicamente imprigionata nel suo passato, assieme con un'altra bambina misteriosa che conosco soprattutto attraverso le fotografie.

In ogni donna fa capolino una bambina che cocciutamente vuole rimanere tale. Succederà anche a te, Flavia, se non ti è già successo: nella tredicenne che sei non ti capita di incontrare, faccia a faccia, quella bambina di sei anni che anch'io ho conosciuto, quella bambina che entrava trionfante nell'ingresso dell'Hôtel Bellevue col cappelletto rosso ciliegia in testa e le scarpe rosso pomodoro ai piedi?

La pelle può anche mettere su le grinze, può diventare tanto sgualcita da "dare la voglia di stirarla" come hai detto tu una volta parlando della tua bisnonna. Ma la bambina continuerà ad occhieggiare sotto maglie, camicie, sottovesti, collane di vetro. Quella bambina che si stupisce, che sorride timida, che spia preoccupata, che si meraviglia dolcemente di quello che vede.

Il principe Myškin non si era mai staccato da quel bambino sorpreso di cui ti sto parlando, Flavia. Per questo lo chiamavano "idiota". Per quella candida goffa capacità di stupirsi che è un regalo della prima infanzia. Dopo, crescendo, di solito si perde. Salvo qualcuno che la mantiene e viene considerato un "inetto".

Una che assomiglia al principe Myškin è la giovane Shen Te, quell'"anima buona" che si arrabatta per sopravvivere nella lontana provincia di Sezuan. Era giovane, candida, senza una lira.

Un giorno, nella regione arsa dalla sete e dalla fame, arrivano tre Dei travestiti da mendicanti. Tre uomini abituati agli sfarzi celesti che assumono l'aria dimessa di chi pellegrina per strade polverose vivendo di elemosina. Essi vagano per la piccola poverissima cittadina cercando alloggio. Bussano alle porte di molte case chiedendo asilo per la notte, una sola notte. Ma nessuno li vuole ospitare, chi perché ha un malato in casa, chi perché non ha letti liberi, chi perché deve fare asciugare il riso in cortile, insomma, con una scusa o l'altra gli abitanti di Sezuan chiudono la porta in faccia ai sacri ospiti.

Solo Shen Te, che pure dispone di una unica stanza, invita i tre mendicanti ad entrare. Offre loro del cibo e un giaciglio per la notte. Le tre divinità mangiano il suo riso, dormono sotto il suo tetto e l'indomani, prima di partire, si palesano in tutto il loro splendore: Shen Te non ha ospitato dei mendicanti ma degli Dei e ora loro, per ringraziarla, le regaleranno delle monete d'oro perché possa realizzare il suo antico sogno: aprire una tabaccheria.

Shen Te è felice: compra la tabaccheria e si mette al lavoro trasportando sacchi di tabacco, biondo e bruno. In poco tempo i suoi guadagni si fanno consistenti e i parenti cominciano a gravitare intorno al negozio. Alcuni chiedono prestiti, altri ospitalità. E Shen Te, che è generosa e ingenua, proprio come il principe Myškin, dà ospitalità, prima ad un parente, poi ad un amico del parente, poi ad un amico dell'amico, finché si trova sopraffatta da una folla di profittatori intenzionati a portarle via fino all'ultimo soldo.

Quando sta per tornare in miseria, Shen Te capisce che, se vuole proteggersi ed onorare gli Dei, deve in qualche modo difendersi. E allora cosa fa? inventa l'arrivo di un cugino, il severo e giusto Shui Ta, che rimette un poco di ordine nella vita troppo esposta e dissipata di Shen Te.

Il cugino Shui Ta è fermo nel pretendere rispetto e attenzione da parte dei parenti e degli amici dei parenti. E la cosa più curiosa è che i profittatori si piegano subito al suo volere. Shui Ta, infatti, è un uomo e in Cina, si sa, gli uomini sono più ascoltati delle donne. Ma l'ordine che fa Shui Ta è privo di meschinità: i parenti e gli amici vengono trattati con gentilezza e prodigalità, pur venendo trattenuti dallo sperperare l'intero patrimonio della giovane e candida cugina.

In realtà è la stessa Shen Te che recita la parte del cugino severo e solo lei e il pubblico conoscono questa doppia identità, i parenti e gli amici no. Shen Te la mattina lava, pulisce, cucina per tutti; nel pomeriggio, trasformata nell'elegante Shui Ta, aggiorna il libro dei conti, distribuisce il denaro dividendolo scrupolosamente, decide cosa investire e cosa spendere, interviene con giudizi posati ma rigorosi nelle risse fra parenti, istiga a lavorare per la comunità.

Brecht probabilmente voleva dimostrare quanto fosse necessaria la razionalità rivoluzionaria al posto dell'irrazionale euforia anarchica. Ma le implicazioni sono complesse e multiple. Si può interpretare il dramma come una parabola sulla doppiezza sessuale e la intercambiabilità dei ruoli. Oppure come una favola crudele sulla divisione tragica fra dovere e amore, fra le ragioni del cuore e quelle dell'intelligenza. L'effetto che se ne ricava è comunque una travolgente "simpatia" per la forza dell'"idiozia", alla Myškin, di Shen Te. "Il saggio non è che un fanciullo / che si duole di essere cresciuto", scrive Cardarelli in una sua bella poesia.

Tu certo ancora non ti duoli di essere cresciuta e di continuare a crescere, cara Flavia. Sarai più saggia di chi invece se ne duole? Ma "il saggio è colui che si stupisce di tutto" dice Goethe. Come l'idiota Myškin e come Shen Te. Ma quali sono i limiti fra lo stupore e la dissipazione? fra lo stupore e il farsi mangiare dagli altri? fra la meraviglia e la perdita di sé?

un bacio

da Vera

8 aprile 1995

Cara Flavia,
    avevo deciso di non scriverti più. E invece eccomi di nuovo qui. Il fatto è che tuo zio Edoardo mi ha
raccontato che hai imparato a "fare l'orto" e questo
mi ha dato voglia di rivolgermi ancora a te.
    La tenacia di tuo zio nel mantenere in piedi questa amicizia post-amorosa è commovente. Viene a
trovarmi qui in montagna portandosi dietro il suo arco (lo sapevi che adesso gli è presa la mania di tirare
le frecce al vento?), il suo parapendio, il suo violino e
mi parla di te come se fossi dietro l'angolo e dovessi
apparire da un momento all'altro col tuo cappelletto
rosso ciliegia in testa.
    Mi ha detto che hai piantato dei fagioli in un orticello circondato da ciottoli di mare. «Perché fagioli?» ho chiesto incuriosita. «Pare che una volta tu le
abbia raccontato la storia di Fagiolino.»
    Lì per lì non ricordavo affatto la storia di Fagiolino. Poi, mentre cucinavo ho sentito tuo zio dire:
«Ma lo sai che ogni giorno corre a guardare se il fagiolo è cresciuto», e mi sono ricordata la vicenda del
bambino che pianta un fagiolo nel giardino di casa e

dopo pochi giorni vede sbucare un germoglio grosso e robusto che comincia a crescere, a crescere: prima una piantina, poi un alberello, infine un tronco che in poche settimane arriva al tetto di casa, quindi lo supera, giunge all'altezza del campanile, supera anche quello e piano piano riesce a lambire le nuvole per poi sparire fra le stelle.

Fagiolino, affascinato da quella prorompente manifestazione di vitalità vegetale, decide di arrampicarsi sull'albero del fagiolo per andare a vedere dove arrivano le foglie dei rami più alti. E cosa vede?

Ma tu la conosci bene la storia di Fagiolino che io trasformavo in Fagiolina: era una fonte di succulente sorprese quando ero bambina. Era mia madre che me le raccontava, con la sua bella bocca di geranio, le avventure dell'intrepido Fagiolino. E sulle nuvole "a pecorelle" si trovavano ogni volta cose diverse: un bosco di fagioli giganti in cui vivevano dei bambini tutti verdi, oppure una casa di cioccolato con le porte di biscotto e le finestre di zucchero, oppure un grosso orco che mangiava i bambini dopo averli arrostiti.

«Lo zio Edoardo non mi racconta mai una storia» dicevi tu risentita. Ma forse è assurdo pretenderlo. Lui ti parla, come fa tuo padre, prima di tutto con la musica e tu hai imparato a intendere quel linguaggio che ti è più familiare di ogni altro.

Tuo zio mi guarda in questi giorni con un poco di rimprovero. Forse mi considera troppo "guarita" dell'amore per lui. Ma si può guarire dall'amore come da una malattia? e prendendo quali medicine? Certe volte, sai, l'amore diventa una malattia crudelissima proprio nel momento in cui senti la sua fine. Nel momento in cui sai che incombe la separazione.

Allora puoi essere preso da una furia disperata, per cui ti aggrappi al corpo conosciuto e saresti capace di distruggerlo pur di non perderlo. Sono quelli i momenti in cui la gelosia si fa più rabbiosa e il dolore rimbomba sotto le volte della mente.

Se pensi che per un anno intero ho sognato di incontrarlo per caso, tuo zio, essendomi proibita di vederlo. «Ah, sei tu, ciao», come se niente fosse. «Ciao, che ci fai da queste parti?» «Così, passavo.» «Ah, e stai bene?» «Io sì, e tu?» Questa stupida conversazione me la ripetevo tante volte, di nuovo e di nuovo come sperando che, a furia di ripeterla, si potesse avverare.

Eppure sono stata io a decidere per il no quando i sensi dicevano ancora di sì. Ma quel ramo su cui avevamo amoreggiato, si era improvvisamente popolato e io sentivo che non avrebbe retto. C'erano stati degli scricchiolii sinistri che né lui né io avevamo voluto ascoltare. Ma soprattutto erano le dolcissime menzogne del magico pifferaio che mi inquietavano.

Si possono amare due persone contemporaneamente? E tre? Se lo chiedono in tanti. E qualcuno risponde che sì, è possibile, anzi auspicabile in un vero regime di libertà dei sensi e dei sentimenti. C'è qualcosa di leggero, dicono, di sacro, di felice, di imprevedibile in un amore ramificato e in quanto tale veramente "umano". Mentre amare una persona sola porterebbe dolori, rischi, perdite e dipendenze devastanti. Che ne dici?

Ma questo discorso mi sembra di averlo già sentito. Forse da tuo padre, l'uomo delle eterne disalleanze, l'uomo dalle incertezze sentimentali fatte istituzione. Oppure l'ho sentito da quel bel giovanotto dalle piume sul cappello che quando canta mi fa andare in brodo di giuggiole. Sto parlando di Don Giovanni, quello messo in scena da Mozart, con le parole di Da Ponte e la voce di Fischer Dieskau.

Dopo avere fatto pace con Leporello in seguito ad una rissa in cui il servo le ha prese per conto del padrone, Don Giovanni cerca di convincere il giovanotto a seguirlo in altre spedizioni amorose. Sì, risponde Leporello "purché lasciam le donne".

"Lasciar le donne?" ribatte inviperito Don Giovanni, "pazzo / sai ch'elle per me / son necessarie più del pan che mangio / più dell'aria che spiro?"

"E avete core d'ingannarle tutte" replica con saviezza il giovane servo. Al che Don Giovanni risponde con un'aria bellissima: "È tutto amore" e la sua voce si fa dolce e inquieta e assolutamente amabile. "Chi a una sola è fedele / verso l'altre è crudele" dice con logica indiscutibile. "Io, che in me sento / sì esteso sentimento / vo' bene a tutte quante. / Le donne poi, che calcolar non sanno, / il mio buon natural / chiamano inganno."

Leporello, che non rinuncia, per bocca dell'autore, a ironizzare sulle "donnesche imprese" del suo padrone, commenta sarcastico: "Non ho veduto mai / naturale più vasto e più benigno".

L'altro giorno, rimasta sola in casa, sai che ho fatto? una cosa che sognavo da tempo: ho inserito nel lettore compatto il disco di *Don Giovanni* e, con il libretto in mano, ho cantato sulle voci registrate, tutta l'opera. Alla fine ero senza voce ma piena di allegria: l'italiano di Da Ponte mi dà una gran gioia.

La stessa sera mi è capitato di ascoltare alla radio il *Rigoletto*, che pure è un'opera che amo molto. Ma che pena quella lingua artefatta e involuta! Come è potuto succedere, mi chiedevo, che un italiano così bello e rotondo, chiaro e gioioso, si sia trasformato, in poco più di un secolo, in una lingua opaca, inespressiva, pomposa? "Odio a voi cortigiani schernitori! Quanta in mordervi ho gioia! / Se iniquo son, per cagion vostra e solo. / Ma in altr'uomo qui mi cangio! / Quel vecchio maledivami. Tal pensiero / perché conturba ognor la mente mia?" ... Se non fosse per la meravigliosa musica che accompagna queste parole, tanto da farle dimenticare, sembrerebbero solo grottesche. E ancora: "Voi sospirate. Che v'ange tanto? / Lo dite a questa povera figlia / Se v'ha mistero, per lei sia franto / Ch'ella conosca la sua famiglia" ... E così via con l'enfasi, l'artificio e la pesantezza di una lingua priva di sensualità e di grazia. Cosa è successo in meno di cento anni per trasformare una lingua razionale e ironica in un groviglio di manierismi? E la lingua nazionale che parliamo oggi quanto è influenzata dalle affettazioni care a Piave?

"Alfin siam liberati, / Zerlinetta gentil, / da quel scioccone" dice Don Giovanni alla bella giovane sposa che è intento a conquistare, "Che ne dite, ben mio, so far pulito?" E in quel "so far pulito" c'è tutta la disinvoltura, la semplicità di un italiano senza fronzoli e senza pretese, letterario e quotidiano nello stesso tempo. È una frase del Settecento che suona svelta e moderna. Mentre l'Ottocento suona datato, vecchio, roboante.

Ma siccome una scelta linguistica rivela anche una disposizione critica della psicologia, basta analizzare un breve pezzo dell'opera per rendersi conto del realismo (nel senso di capire le ragioni del qui e dell'oggi, dei sensi e della natura, dell'intelligenza e dei rapporti umani) di Da Ponte e di Mozart.

Zerlina infatti risponde, sorpresa da quell'ardimento che ha qualche parentela con l'arroganza: "Signore, è mio marito!".

"Chi? colui?" ribatte Don Giovanni e la sua ipocrisia è vistosamente messa in evidenza. Il bel signore sa benissimo di essere capitato in mezzo ad un matrimonio: ha visto lo sposo ed è perfettamente consapevole che chi gli sta di fronte è la giovane sposa. Ma, con ribalderia di aristocratico abituato a ottenere quello che vuole, insiste subdolo: "Vi par che un onest'uomo, / un nobil cavalier com'io mi vanto, / possa soffrir che quel visetto d'oro, / quel viso inzuccherato / da un bifolcaccio vil sia strapazzato?".

È raro trovare un uso dei diminutivi più gioioso e incantevole: "que' labretti sì belli", "quelle ditucce candide e odorose", "quel visetto inzuccherato" vogliono legare la smania d'amore a un gioco infantile; quel tipo di gioco malandrino e bambinesco a cui Mozart stesso si affidava realmente nella vita di tutti i giorni, con la moglie ragazzina.

Il diminutivo nella lingua di Da Ponte-Mozart, non è mai manierato ma introduce nel regno delle minuzie senza affettazioni. Come mai, viene da chiedersi, è così difficile oggi adoperare i diminutivi senza cadere nella leziosaggine? Probabilmente perché allora, paradossalmente, il regno delle minuzie bambinesche non era considerato diverso e quindi inaccessibile se non per mimesi passiva. Il mondo dell'infanzia non era visto come un pianeta a sé, con la sua psicologia "straniera" e la sua cultura da interpretare. I bambini erano ritenuti semplicemente dei grandi "piccoli" e non si pensava che per accedere al loro linguaggio si dovesse "recitare una parte" come si fa adesso.

Le donne potevano inserirsi in questo universo delle minuzie, come potevano starne fuori, dipendeva dalla loro voglia di partecipare al gioco erotico. Ma torniamo a Don Giovanni che sta cercando di sedurre la giovane sposa Zerlina. Egli sa che nella società piramidale in cui vive, chiunque stia in basso aspira a salire verso la zona privilegiata in cui si trovano i nobili. Ha capito che Zerlina è inquieta e perciò punterà sulla sua ambizione sociale più che su un bisogno di denaro come avrebbe fatto con un'altra popolana. Varie volte le ripete: "Io cangerò tua sorte".

"Ma, signore, io gli diedi / parola di sposarlo" ribatte Zerlina con la logica candida di una contadina che conosce il valore dei patti sociali. "Tal parola / non vale uno zero. Voi non siete fatta / per essere paesana: un'altra sorte / vi procuran quegli occhi bricconcelli / que' labretti sì belli [...] parmi toccar giuncata e fiutar rose."

"Giuncata" e "rose" introducono nel mondo delle delizie dei sensi. Zerlina comincia a pensare che a volte la bellezza può vincere sui pregiudizi di classe. Ma pure è incerta, perché non si fida. "Non vorrei" dice. "Che non vorresti?" la incalza Don Giovanni che ha fretta. "Alfine / ingannata restar" precisa onestamente Zerlina: "Io so che raro / colle donne voi altri cavalieri / siete onesti e sinceri".

Fra le ragazze che si curvano sulle zolle è passata la novella che i cavalieri sono spesso ingannatori. Ma Don Giovanni sa che ogni lusinga appare nuova e diversa e che una giovane ragazza ama illudersi di potere superare tutti gli ostacoli con la sua avvenenza che è certamente diversa e speciale, perché non credergli? Perciò Don Giovanni insiste, spudorato: "È un'impostura / della gente plebea. La nobiltà / ha dipinta negli occhi l'onestà". E qui si sente tutto il peso dell'ironia di un uomo "illuminato", Da Ponte (accanto a lui, complice e fratello Mozart) che sapeva riconoscere la ribalderia padronale senza per questo farsi illusioni sulle "innate virtù" del popolo, perfettamente consapevole di quanto gli uni e gli altri fossero spinti da interessi e passioni spesso cieche e feroci.

Se dobbiamo fingere, facciamolo fino in fondo, sembra dirsi Don Giovanni mettendo a tacere qualsiasi scrupolo da galantuomo. E la recita continua: "Orsù, non perdiam tempo; in questo istante / io ti voglio sposar".

"Voi!" grida Zerlina incredula. "Certo, io" risponde lui sicuro e immediatamente appoggia su quel verbo "sposar" tutto il peso della sua magnificenza padronale: "Quel casinetto è mio: soli saremo, / e là, gioiello mio, ci sposeremo".

Zerlina, come si sa, tentenna ancora, "vuole e disvuole" come direbbe Benedetto Croce. Ma infine acconsente. E proprio in quel momento, con una inopportunità che Don Giovanni commenterà così: "Mi par ch'oggi il demonio si diverta / d'opporsi ai miei piacevoli progressi", entra Donna Elvira.

"Fermati scellerato! / Il ciel mi fece / udir le tue perfidie. Io sono a tempo / di salvar questa misera innocente."

Da Ponte osserva con occhio divertito tutta la scena. Donna Elvira si muove con il furore di un amore oltraggiato ma è presa in giro, seppure blandamente, per la sua irruenza emotiva. Non ha la luttuosa maestà di Donna Anna, di fronte al cui dolore non c'è disprezzo o dileggio ma delicato rispetto.

Donna Elvira è passionale, roboante e un poco ridicola. "Salvar questa misera innocente / dal tuo barbaro / artiglio" suona francamente eccessivo e retorico.

Al che Don Giovanni, con poco tatto ma molta voglia di riportarla alla ragione, le chiede di farsi complice: "Idol mio, non vedete / ch'io voglio divertirmi?". Come a dire: lascia che io mi prenda questa soddisfazione, poi tornerò da te. Ma sbaglia perché Donna Elvira non è donna da strizzate d'occhio complici. Infatti subito insorge, più rabbiosa di prima: "Divertirti, / è vero divertirti... Io so, crudele / come tu ti diverti" e qui nel dolore diventa più umana, più semplice anche nel linguaggio.

In tutto questo tempo Zerlina è rimasta ad ascoltare, sorpresa e perplessa. Capisce l'essenziale: che un'altra donna aspira all'amore di quel "cavaliero" e che lo accusa di averla tradita. "Ma, signor cavaliere / è vero quel ch'ella dice?"

Cosa può fare il povero Don Giovanni se non inventarsi un altro trucco? "La povera infelice" dice con tono di commiserazione "è di me innamorata, / e per pietà deggio fingere amore, / ch'io son, per mia disgrazia, uom di buon core."

Ma Don Giovanni, ci dice Da Ponte, "uom di buon core" non è, tanto è vero che si è intrufolato nella casa di Donna Anna con l'inganno, ha cercato di violentarla e quando, alle grida di lei, è sopraggiunto il padre, l'ha ucciso, sebbene fosse un uomo anziano che si difendeva a fatica. Tanto è vero che usa sistematicamente l'inganno, la menzogna per ottenere quello che vuole. Ma cosa vuole Don Giovanni? Divertirsi dando la caccia alle donne.

Ma come tutti i cacciatori non dà nessuna importanza a quello che pensano e soffrono le prede da impallinare.

Insomma perché tanta passione per il *Don Giovanni*? mi chiederai tu che molte volte mi hai sentito canticchiare le arie di Mozart a mezza voce. È probabile che il segreto di questa predilezione stia nel mio amore infantile per mio padre: il primo delizioso amabile Don Giovanni che si sia affacciato alla mia immaginazione aurorale.

Entrava dalla porta con le sue lunghe gambe calzate di rosso e usciva dalla finestra dopo essersi calzato in testa un cappello di feltro morbido sormontato da una splendida e fluttuante piuma bianca. E da bambina rimanevo lì, basita, a guardarlo. Soffrivo dei suoi tumultuosi e molteplici amori, ma nello stesso tempo ne ero orgogliosa perché erano il segno della sua evidente amabilità.

Tuo zio ha qualcosa di mio padre? Forse. I primi segni tracciati da un padre nel cuore tenero di una figlia bambina tornano a farsi vivi ad ogni svolta della sua vita.

Eppure è così dolce di natura tuo zio e la dolcezza, non c'è dubbio, è il carattere che più m'incanta in un uomo. Qualcuno pensa che la dolcezza sia una qualità tipica delle donne e quindi non augurabile per un uomo. Nella testa di costoro la dolcezza è sinonimo di debolezza, quindi desiderare un uomo "dolce" significherebbe volerlo debole, fiacco, passivo. Ma sono idiozie. Perché la forza si accompagna sempre ad una forma di serenità e dolcezza. Solo gli uomini fragili, impauriti, sono aggressivi, violenti, prepotenti e assertivi. Un uomo non nevrotico né infelice sarà aperto agli altri, disponibile, gentile, e se vorrà affermarsi lo farà attraverso la conquista del prestigio e non attraverso l'imposizione e la brutalità. L'altro giorno, sai, tuo zio Edoardo e io siamo andati a funghi. Piovigginava e abbiamo gironzolato fra boschi e prati con gli ombrelli aperti. «È buono questo?» mi chiedeva lui dolcemente chinandosi a staccare dal terreno bagnato un curioso cappello vegetale dalla tesa lucida e vischiosa. Si fida di me tuo zio, perché sono anni che vado a funghi, perché consulto continuamente i miei libri di micologia.

La mia è una passione che riguarda tutte le attività di ricerca e raccolta, la *cueillette* come viene chiamata nei libri di antropologia. Le donne sono sempre state addette alla raccolta dei cibi, è una esperienza che sta nella nostra memoria storica. Se chiudi gli occhi puoi vederle le tante donne delle lontane epoche passate, vestite di un solo straccetto legato alla vita, con i figli a cavalcioni sul fianco o sulla schiena, che camminano e camminano scalze con gli occhi fissi al suolo cercando funghi, erbe medicinali, bacche, lombrichi, licheni.

La ricerca non è soltanto funzionale a ciò che si sta cercando; la ricerca contiene in se stessa la ricompensa della sua fatica. La ricerca è infatti un atto di sensuale intelligenza che spinge la fantasia a concentrarsi sul linguaggio complesso della natura, discernendo un'erba da un'altra, un terreno da un altro, un sasso da un altro, ripercorrendo gli itinerari di una logica ferrea anche se continuamente in mutazione.

«E se fosse velenoso?» mi chiede tuo zio sollevando gli occhi allargati dal dubbio. «L'unico modo per non rimanere vittima del veleno è conoscerli, i funghi.» «Ma sono così simili gli uni agli altri.» «Infatti, bisogna saperli distinguere.»

La dolcezza di tuo zio si può appannare, ma il suo "buon core" traspare da ogni gesto che fa. Anche quello di chinarsi paterno su un fungo dal gambo tozzo e il cappello di un giallo stellato, splendente. Per quanto si conoscano i funghi si possono sempre avere dei dubbi. L'inganno è continuamente ripetuto. Un gioco che non potrebbe mostrarsi più crudele e lusinghiero: ogni fungo ha il suo doppio mortale che si distingue da quello mangereccio per un particolare a volte insignificante, ingannevole. Il prataiolo, per esempio, che è il più umile e il più comune dei funghi, così innocente e candido, col suo cappelletto bianco, tondo, le sue delicate lamelle rosa, può essere scambiato per un suo cugino del tutto simile, solo che ha la tendenza a tingersi di giallo sul gambo. Un boccone della *Psalliota Xanthoderma* può provocare una intossicazione da cui si guarirà a fatica.

Eppure il pericolo non tiene lontani i golosi, gli innamorati di quella carne profumata. I libri parlano degli odori più strani: di fenolo, di alga, di inchiostro, di farina, di acido fenico, di terriccio, di anice, di miele, di acqua, di gesso; c'è persino un fungo che ha odore di sangue mestruale: quando lo si tocca, il *Lactarius sanguifluus*, questo è il suo nome, emette delle gocce rosse che macchiano le dita.

Ma cosa spinge le persone a mangiare un frutto della terra così ambiguo e pericoloso per cui ogni anno si registrano centinaia di avvelenamenti e intossicazioni?

Forse la promessa di viaggi enigmatici in mondi sconosciuti. Molti allucinogeni sono di origine fungina. E in letteratura tante avventure cominciano col morso di un fungo. Alice, fra le molte, non entra nel mondo della metamorfosi mangiando un fungo?

Per me la ricerca dei funghi fa parte di quella memoria femminile che è entrata nel mio bagaglio sapienziale come un talento innato: cercare, studiare, cogliere, mettere da parte, cucinare, trasformare, accudire, cibare.

Mi chiedo se la passione per la caccia non sia in qualche modo il parente maschile dell'amore per la *cueillette*. Solo che la caccia non acquista consistenza se non è accompagnata dal rito del sangue e del dolore inflitto. Si tratta solo di una differenza storica o anche naturale?

Ma quante domande, mi dirai, sei peggio di Flavia che quando aveva sei anni tempestava la conversazione di interrogativi: perché questo e perché quello.

Tu stai crescendo con una tale rapidità, Flavia, che io non so più a chi sto parlando. Non so nemmeno se quella bambina sia semplicemente una parte di me che si affaccia timidamente ai bordi della memoria di un corpo che invecchia.

Noi appariamo agli altri con una sola immagine, limitativa e parziale. Mentre nel nostro corpo le varie età convivono senza ordine, la bambina con l'anziana, il giovinetto con l'uomo maturo. Siamo una folla, come diceva Pessoa, e un solo nome ci sta stretto.

C'è un quadro, nel museo del Prado, se ricordo bene, che si chiama *La fontana della eterna giovinezza*. Un quadro ampio, dai colori liquidi, in cui tanti corpi, in un brulichio di bianchi e di rosa, si immergono dentro le acque di una fontana miracolosa e ne escono ringiovaniti.

La memoria ha le virtù di quella fontana. Chi vi si immerge ne esce rivitalizzato. E certamente le storie, i romanzi sono fatti di quell'acqua miracolosa che ci permette di ringiovanire. Scriverli, ma anche leggerli. Io sono una lettrice appassionata. E mi sembra che solo attraverso la lettura riesco a "vedere" al di là delle immagini che si vendono a giornata. Quando riusciamo ad andare oltre lo stereotipo scopriamo che le pupille della persona osservata sono gremite di storie non raccontate, che la sua pelle conserva l'odore del latte materno, che le sue mani, per quanto vizze, sono percorse dallo spirito del rinnovamento.

Ricordati ogni tanto, cara Flavia, che siamo state amiche, anche se di età così diverse e abbiamo appartenuto, per un tempo breve ma intenso, alla stessa stravagante famiglia.

Con tenerezza

tua
Vera

INDICE